違いがわかれば
すぐ身につく!

Excel VBA
ユーザーのための
Python
プログラミング入門

伊藤潔人

日経BP

はじめに

本書は、Excel VBAを普段お使いの方を主な対象としたプログラミング言語「Python(パイソン)」の入門書です。

VBAと比較しながら、Pythonの基本を速習するための本です。VBAとPythonが、どんなところが似ていてどんなところが違うのかを明確にすることで、Excel VBAユーザーの皆さんが、他の入門書より迅速にPythonの基本を理解できることを目指しています。

Memo

本書は、2020年にKindle Direct Publishingで電子書籍として出版した『VBAユーザーのためのPython超入門』を再編集して、新たな内容を加えたものです。Pythonのバージョンを2023年7月時点の最新版に改め、図版を多数追加しました。Excel VBAユーザー向けに、外部ライブラリ「xlwings」を使ったExcel操作も加筆しています。

VBAと比較しながらPythonを速習

Pythonに関する日本語の書籍が、この5年ほどでかなり増えました。普段Excel VBAをお使いの皆さんの中にも、Pythonが気になっている方がいらっしゃると思います。

PythonもVBAもプログラミング言語ですから、似た部分がたくさんあります。条件分岐やループ処理といった制御構文、変数はどちらにも存在します。一方で異なる部分もあります。

例えば、Pythonのfor文はVBAのFor～NextではなくFor Each～Nextに似ています。PythonのリストはVBAの配列に似ていますが、もっと操作しやすくて便利です。Pythonの文字列はオブジェクトであるため、単なるデータであるVBAの文字列操作と、かなり異なったコードを書く必要があります。

一般的なPython入門書を使ってPythonを独学する場合、こういった違いを皆さん自身が自分で読み取り、理解する必要があります。本書はそのような違いを明確にすることで、VBAユーザーの皆さんがPythonをより速く習得できることを目指しています。

Memo

2023年8月下旬、マイクロソフトはExcelのワークシート上でPythonを使えるようにすると発表し、そのベータ版を公開しました。これを知って、いよいよPythonを学ばなければ、と思っている方もいらっしゃるかもしれません。Pythonが使えるExcelのベータ版については、5ページで紹介しています。

Pythonでは短くシンプルに書けるケースが多い

Pythonでは、VBAなど他のプログラミング言語よりもコードを簡潔に書けるケースが少なくありません。OSに関係する処理や、インターネット上からデータを集めるような処理は、VBAよりPythonのほうがシンプルに書けます。

Pythonを使ったコードの具体例を挙げましょう。あるフォルダーの下に複数のフォルダーがさまざまな階層で存在するときに、その中にあるすべてのファイルのフルパスを調べたい、というケースがあります。このような処理は、VBAを使うよりもPythonのほうがはるかに簡単に書けます。以下のようなたった3行のコードで、Cドライブにあるtempフォルダー下のさまざまな階層にある全ファイルのフルパスの一覧を取得できます。このコードの意味については、第9章の171ページで解説します。

```
import glob
for path in glob.glob(r'C:¥temp¥**', recursive=True):
    print(path)
```

VBAで同様の処理を行うには、自分で再帰処理を書く必要があり、もっとずっと長いコードにせざるを得ません。それに対しPythonでは、本書の第9章以降で解説する豊富なライブラリを使うことで、コードをシンプルに素早く書けます。

PythonでExcelも操作できる

Pythonを使ってExcel自体を操作することも可能です。Excel VBAよりPythonを使うほうがシンプルなコードで書ける処理もあります。そのようなPythonでExcelを操作する基本を、第11章で解説します。

Memo

マイクロソフトが発表したとおりExcelでPythonが使えるようになるのなら、それでExcelを操作すればいい――。そう考える方がいらっしゃるかもしれません。しかし、それは無理です。右ページで紹介するように、2023年8月下旬に発表された「Python in Excel」は、ワークシート上でPythonが使えるようになるものです。PythonでExcelの操作を自動化するには、依然として本書で解説するような手法が必要になります。

Excel関連業務をPythonで自動化しよう、といった趣旨の書籍も随分増えました。しかし、それらの書籍で解説されている方法の多くは、Excel自体を操作するのではなく、Excelで作られたファイルを処理するものです。本書では、Excel VBAに近いコードで、Excel自体を操作する手法を紹介します。

本書では扱っていない内容

本書はPythonの超入門といえる内容のみを取り上げています。以下のような内容は扱っていませんのでご了承ください。

- **リスト内包表記**
- **関数定義**
- **例外処理**
- **ディクショナリ（辞書）**
- **セット（集合）**
- **クラス定義**

注目の新機能「Python in Excel」とは

2023年8月下旬に、Pythonが使えるExcelのベータ版が公開されました。Pythonの使えるExcelと聞くと、VBAの代わりにPythonを使ってExcelを操作できるようになると考えてしまうかもしれませんが、それは違います。Excelのワークシート上でPythonが使えるようになるもので、「Python in Excel」と呼ばれています。

Python in Excelでは、本書の第10章で少しだけ解説する「pandas（パンダス）」などのライブラリをExcelのワークシート上で使えるようになります。Pythonはクラウドに用意されているものを使うため、パソコンに別途インストールする必要はありません。逆に、ネットにつながっていなければ使用できません。

このベータ版では、「数式」タブの中にPython関連のコマンドが表示されます（図A）。「Pythonの挿入」ボタンなどから、セルにPythonのコードを入力できるモードに変えると、数式バーに「PY」と表示された状態になります。この状態でPythonのコードを入力して確定すると、クラウドでPythonの処理が行われ、その結果がワークシートに出力されます（図B）。

ベータ版は、Microsoft 365 Insiderプログラムに参加していれば無償で利用できますが、正式版がどのようなライセンス形態になるのかは未定です。

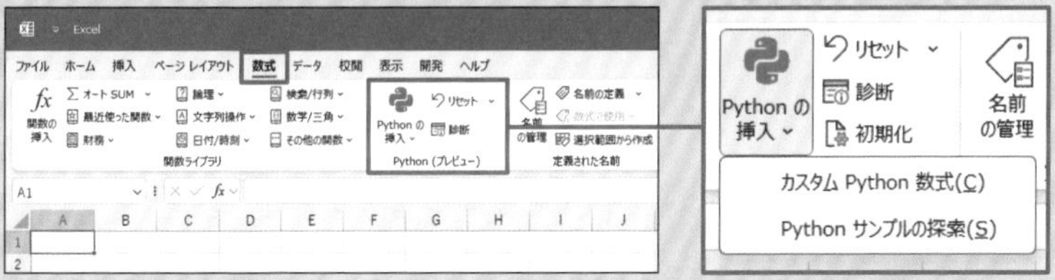

図A ベータ版では、「数式」タブにPython関連のコマンドが追加されている（左）。「Pythonの挿入」ボタンから、数式の作成やサンプルの探索ができる（右）

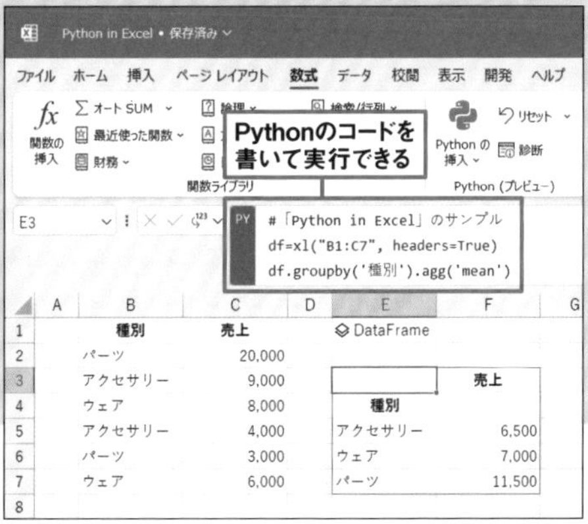

図B Pythonを入力するモードにすると、数式バーに「PY」と表示される。コードを入力して確定すると、結果がワークシートに出力される

Contents

Contents

Contents

第1章

Pythonを インストールしよう

この章で学ぶこと

- Pythonのインストール方法は複数ある
- パソコンにPythonをインストールする
- 初学者は「IDLE（アイドル）」を使うのがお勧め
- Pythonのプログラム（コード）を実行する方法は、2つある

01 複数のインストール方法

本書をお読みの皆さんのパソコンには、Microsoft Officeがインストールされていると思います。一般的なWindowsパソコンの場合、Officeがインストールされていれば、VBAを使ってすぐに業務効率化を図れます。

一方、Pythonのプログラミング環境を整えている方は少ないかもしれません。WindowsでPythonを利用するには、基本的にはPythonをパソコンにインストールする必要があります。とはいえPythonのインストール作業は、決して難しいものではありません。

Pythonのインストール方法は複数ある

Pythonをパソコンにインストールする方法はいくつかありますが、最近のPython入門書で紹介されている方法は、大きく2つに分類できます。Pythonの公式サイトからインストールする方法と、「Anaconda(アナコンダ)」をインストールする方法です(**図1**)。

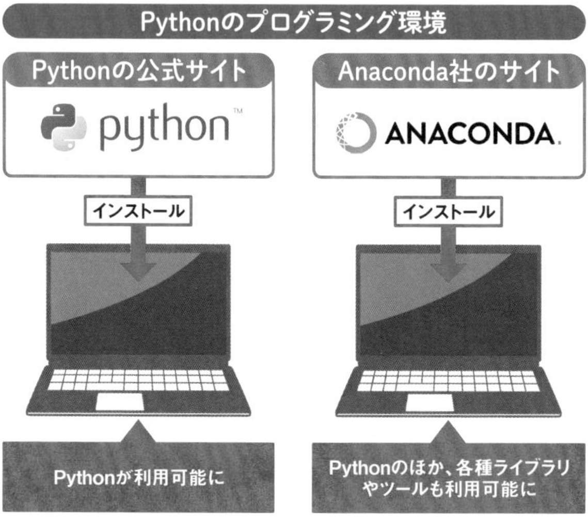

図1 Pythonをインストールする方法は、主に2つある。公式サイトからインストールする方法と、Anacondaをインストールする方法だ。AnacondaにはPython本体に加えて、各種の外部ライブラリやツールが同梱されている

Anacondaは中上級者向け

Anacondaとは、Python本体だけではなく、科学技術計算、データ分析、機械学習などで使われるさまざまな外部ライブラリやツールを、ひとまとめにしたもの（ディストリビューション）です。Anaconda社が配布しています。Pythonをすでに熟知していて、データ分析などをすぐに行いたい方にとって、Anacondaは便利です。

Memo

「ライブラリ（library）」とは、プログラムを、ほかのプログラムからも呼び出して再利用できるようにしたものです。また「ディストリビューション（distribution）」は「配布物」といった意味の英単語で、IT用語としては複数のソフトウエアなどをインストールするために、ひとまとめにしたものを指します。

しかし、Pythonを初めて使う場合、操作しているのがPython本体なのか、外部ライブラリなのか、あるいはAnaconda固有の機能なのかがわからなくなってしまい、Pythonが難しいものであると誤解する恐れがあります。

そのため、Pythonをまったく初めて使うという方、Pythonで行いたいことが明確になっていない方に、筆者はAnacondaをお薦めしません。Pythonの公式サイトからインストールを行いましょう。その具体的な手順を次節で解説します。

Pythonが人気の理由

プログラミング言語の中でPythonの人気が高い理由は、

- **文法がシンプルであること**
- **ライブラリが豊富であること**

の2つが大きいと筆者は考えています。文法がシンプルであることによって、習得が容易で読みやすいコードになり、ライブラリが豊富であることが、さまざまな業務にすぐ活用できるというメリットにつながっています。

本書では、第8章まででシンプルな文法の基本を、第9章以降で豊富なライブラリの一部について解説します。

02 公式サイトから インストールする

実際に、Pythonをインストールしましょう。公式サイトのダウンロードページにアクセスすると、**図1**のように「Download Python 3.11.3」などと表示されたボタンが見えます。このボタンをクリックすると、Pythonのインストーラーをダウンロードできます（**図2**）。

Memo　Pythonのダウンロードページは、以下のURLでアクセスできます。
https://www.python.org/downloads/

図1 Pythonの公式ウェブサイトにあるダウンロードページ。「Download Python 3.11.3」などと表示されたボタンをクリックする。なお、バージョン番号は随時更新されるので、図のとおりとは限らない

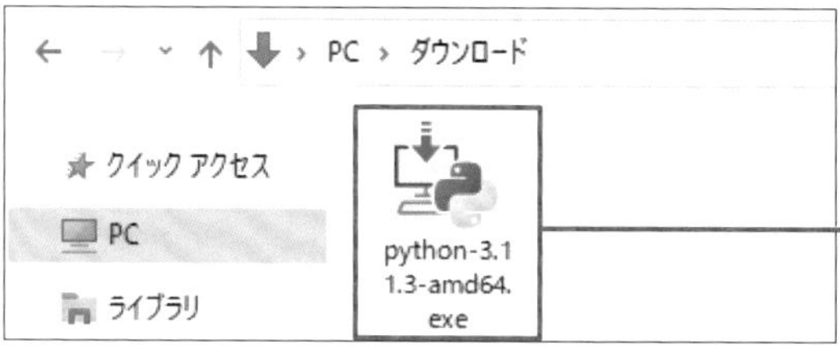

図2 ダウンロードしたPythonのインストーラー。ダブルクリックすると、セットアップウィザードが起動する

ダウンロードしたインストーラーを実行すると、セットアップウィザードが表示され、Pythonのインストールを始められます。ウィザードの最初の画面では、一番下にある「Add python.exe to PATH」のチェックボックスをクリックしてオンの状態にしてください（**図3**）。

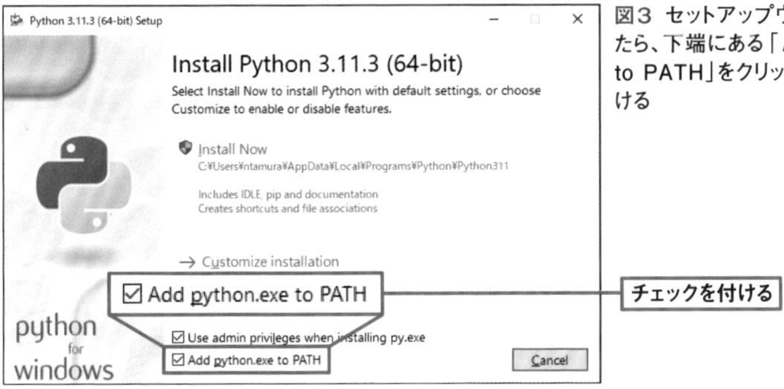

図3　セットアップウィザードが起動したら、下端にある「Add python.exe to PATH」をクリックしてチェックを付ける

Memo

図3で「Add python.exe to PATH」にチェックを付けるのは、Pythonの実行を簡単にするためです。

そのうえで「Install Now」をクリックすると、インストールが始まります（**図4**）。

図4　「Install Now」をクリックすると、インストールが始まる

インストールが完了すると、**図5**のように表示されますので、右下の「Close」ボタンをクリックすれば完了です。インターネット回線の状況にもよりますが、インストール作業は数分で終わるでしょう。

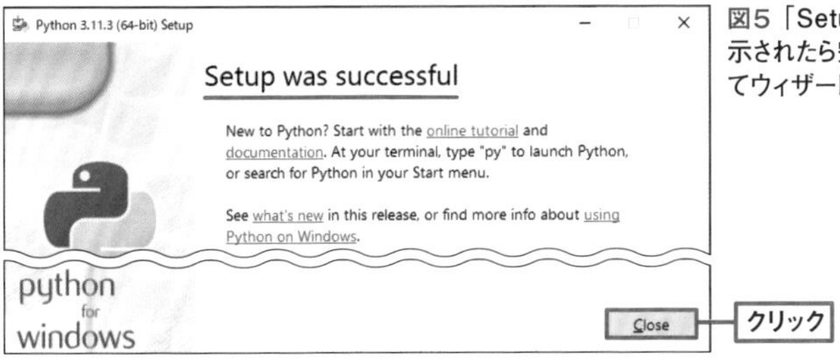

図5　「Setup was successful」と表示されたら完了。「Close」をクリックしてウィザードを閉じる

03 IDLEを起動してみよう

Pythonがインストールできたことを確かめるために、ここで「IDLE（アイドル）」を起動してみましょう。

IDLEとは

Pythonをはじめとするプログラミング言語で、ある程度の規模のプログラミングを行う場合、何らかの開発環境を使用します。「IDE（アイディーイー、Integrated Development Environment）」と呼ばれるもので、日本語では統合開発環境といいます。VBAをお使いの皆さんには、「Visual Basic Editor（VBE）」と似たもの、という説明がわかりやすいでしょう。

このようなIDEの1つで、Pythonに最初から用意されているのがIDLEです。

Memo

IDLEの語源は諸説ありますが、「Integrated Development and Learning Environment」（統合された開発と学習の環境）の省略形、という説明が納得しやすいと思います。

Pythonを使って本格的な開発を行う場合、IDLEとは別に何らかの開発環境を準備することが多いのですが、まったく初めてPythonを使う方にとって、Pythonをインストールすればすぐに使える点で、IDLEは便利です。IDLEには、VBAの開発環境であるVBEに似た機能も含まれています。

IDLEを起動する

Pythonをインストールしたばかりであれば、スタートメニューの「最近追加されたもの」に「IDLE（Python 3.11 64-bit）」のような項目が存在するはずです。これを選択すれば、IDLEを起動できます。ここから消えてしまったら、スタートメニューの中に「Python 3.11」といったフォルダーがあるので、そこから起動してください（**図1**）。

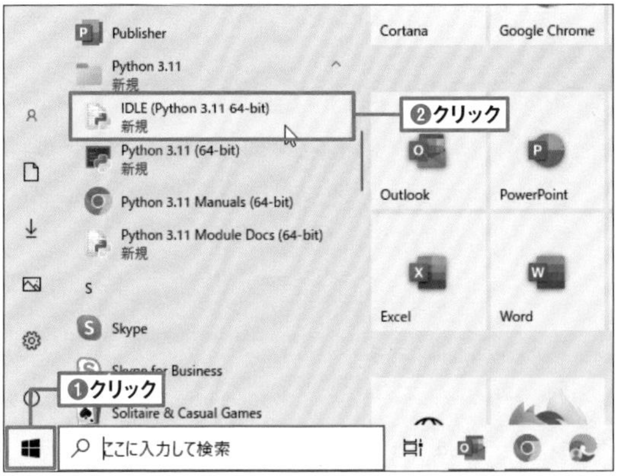

図1 Windows 10ではスタートメニューの「Python 3.11」フォルダーの中にある「IDLE（ Python 3.11 64-bit ）」を選択してIDLEを起動する（❶❷）。Windows 11の場合は、スタートメニューの「すべてのアプリ」に「Python 3.11」フォルダーがある。検索ボックスに「IDLE」と入力して検索してもよい

起動すると、タイトルバーに「IDLE Shell 3.11.3」のように表示された、**図2**のようなウインドウが開きます。これがIDLEの画面です。

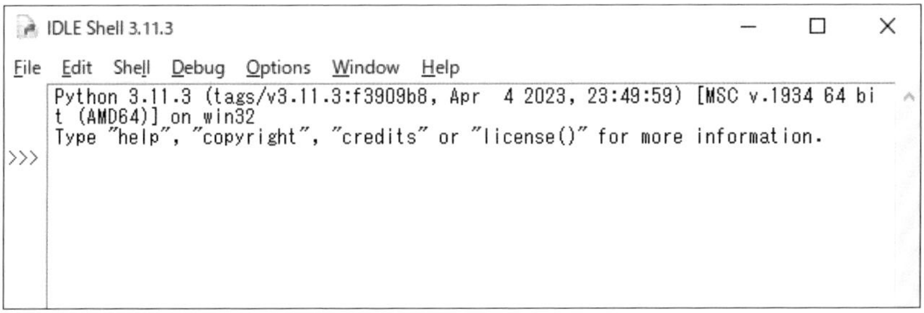

図2 IDLEのShell（シェル）ウインドウ。対話モードでコードを入力・実行できる

このウインドウを「Pythonシェル」「対話シェル」「インタラクティブシェル」などと呼ぶこともありますが、本書では公式サイトに従い「Shellウインドウ」と表記します。タイトルバーやウインドウ内に表示される文字列は、インストールしたバージョンによって異なりますが、IDLEのShellウインドウを起動できれば、Pythonのインストールが完了しているといえます。

2種類の実行方法がある

詳細は第2章と第3章で解説しますが、Pythonのプログラム（コード）を実行する方法は、2つあります。1つはコードを1行ごとに入力して実行する「対話モード」を使う方法。もう1つは、事前に作成した拡張子「.py」のスクリプトファイルを

実行する「スクリプトモード」です（**図3**）。

先ほど起動したShellウインドウは、前者の対話モードで使います。前ページ図2のようなウインドウの中で、コードを1行ずつ入力して実行します。次章ではまず、このShellウインドウを使ってPythonのコードを入力しながら、基本を学びましょう。後者のスクリプトモードについては、第3章で解説します。

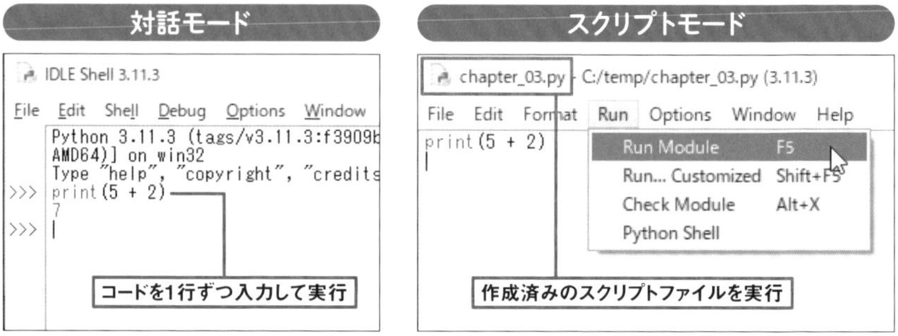

図3 Pythonのコードを入力・実行する方法は2つある。1つは1行ずつコードを入力・実行する「対話モード」。もう1つは拡張子「.py」のスクリプトファイルを実行する「スクリプトモード」だ

Shellウインドウを閉じる

IDLEが起動でき、Pythonがインストールできたことを確認したら、Shellウインドウを閉じてください。IDLEも、一般的なWindowsアプリケーションと同様に、右上隅にある「×」ボタンや、ショートカットキー「Alt」+「F4」を押して閉じることができます（**図4**）。

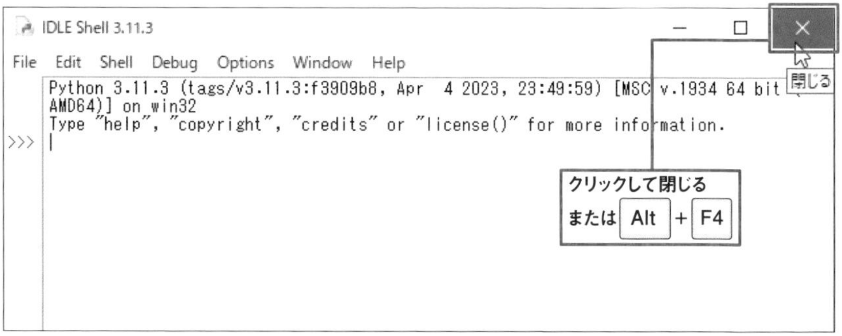

図4 一般的なアプリと同様、ウインドウの右上隅にある「×」ボタンを押せば、Shellウインドウを閉じられる。「Alt」キーを押しながら「F4」キーを押してもよい

Python Programming

第2章

コードを入力・実行してみよう

この章で学ぶこと

- IDLEのShellウインドウでは、コードを入力してすぐに実行できる
- Pythonでは、アルファベットの大文字と小文字、全角文字と半角文字が区別される
- 一般的な加減乗除の演算子は、PythonとVBAで同じ記号を用いる
- 割り算の余りや商、べき乗を求める演算子は、PythonとVBAで異なる

01 対話モードでコードを実行する

第2章では、IDLEのShellウインドウでコードを実行し、Pythonの基本を学びます。第1章の18ページでお伝えした通り、Shellウインドウは1行ずつコードを入力・実行する「対話モード」で使用する画面です。まずはスタートメニューから「IDLE（Python 3.11 64-bit）」を選択してShellウインドウを開いてください。

コードを入力して「Enter」キーで実行

Shellウインドウを見ると、英語が表示されている部分の下に、「>>>」と表示され、カーソルが点滅しています（**図1**）。この「>>>」を「プロンプト」と呼び、Pythonの命令を入力してすぐに実行できることを示しています。

図1　IDLEのShellウインドウを起動すると、左側に「>>>」と表示されている。これを「プロンプト」という。その右側にはカーソルが点滅していて、ここにコードを入力する

試しに、次のコードを入力してみましょう。

Python

```
print(5 + 2)
```

日本語入力（IME）をオフの状態にして、必ず半角文字で入力してください。「+」記号の前後は半角スペースを入れなくても正常に動作しますが、半角スペースを入れるのが一般的です。入力したら「Enter」キーを押します（**図2**）。

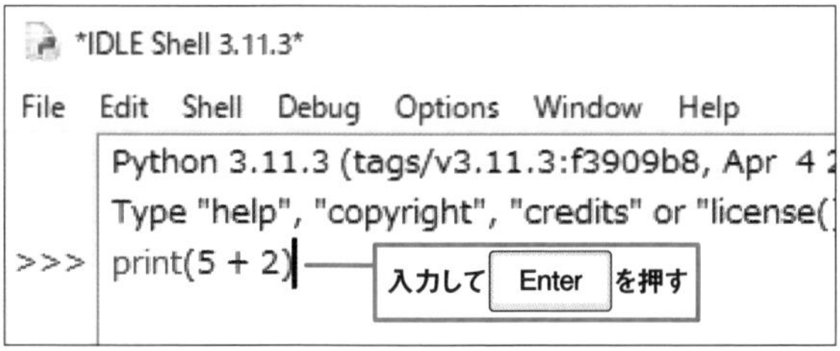

図2 「print(5 + 2)」というコードを半角文字で入力して「Enter」キーを押す

すると、**図3**のように実行されます。

図3 次の行に「5 + 2」の計算結果「7」が出力される。さらに次の行には、再び「>>>」とプロンプトが表示され、次のコードを入力できる状態になる

入力したコード「print(5 + 2)」の次の行に、計算結果が「7」と出力され、その下に再びプロンプト「>>>」が表示されて、次のコードを入力できる状態になっています。

ここで入力した「print」はPythonの組み込み関数で、引数に指定した値や式の結果を出力してくれます。VBAの「Debug.Print」と似た役割をするのがPythonのprint関数で、その詳細は第3章の54ページで解説します。Shellウインドウでは、実行したコードの次の行に結果が出力され、出力結果にはプロンプト「>>>」は表示されません。

Memo

Shellウインドウを用いた対話モードでは、print関数を使わずに「5 + 2」とだけ入力し「Enter」キーを押しても、結果の「7」が出力されます。ですが本書ではあえてprint関数を利用しています。第3章で解説するスクリプトモードでは、print関数が必須であるためです。スクリプトモードと対話モードで書き方を統一することで、混乱が生じないようにするために、本書では対話モードでもprint関数を利用しています。

VBEの「イミディエイトウィンドウ」に似ている

ここまで操作してみて、VBAを使い慣れている皆さんは、Shellウインドウが「イミディエイトウィンドウ」に似ていると思ったかもしれません。Visual Basic Editor（VBE）でショートカットキー「Ctrl」＋「G」を押すと表示される、入力したコードを即座（イミディエイト）に実行できるウインドウです（**図A**）。

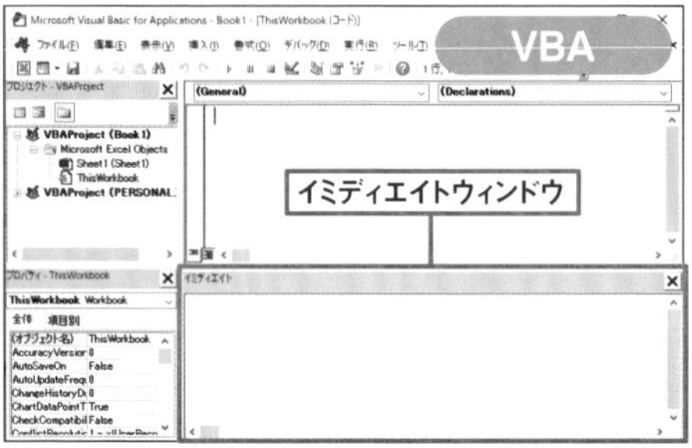

図A VBEでは「表示」メニューから「イミディエイトウィンドウ」を選ぶか、「Ctrl」キーを押しながら「G」キーを押すと、イミディエイトウィンドウを表示できる

例えば、イミディエイトウィンドウに「Debug.Print 5 + 2」と入力して「Enter」キーを押すと、次の行に計算結果「7」が出力されます（**図B**）。

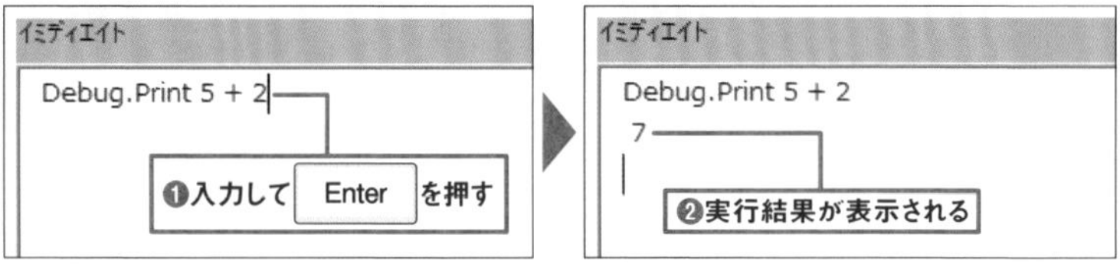

図B 「Debug.Print 5 + 2」というコードを入力して「Enter」キーを押すと（❶）、次の行に「7」と計算結果が表示される（❷）。さらに次行の先頭にカーソルが点滅して、次のコードを入力できる状態になる

VBAの「Debug.Print」は、値をイミディエイトウィンドウに出力する命令です。プログラムの内容をチェックする際に、変数の中身や計算結果などを確認するために使っている方は多いのではないでしょうか。

20ページで入力したPythonのprint関数は、VBAのDebug.Printと似た処理を行ってくれるものです。IDLEのShellウインドウは、VBEのイミディエイトウィンドウに似たものといえます。

なお、VBEのイミディエイトウィンドウでコードを入力して出力する際、Debug.Printを使わずに「? 5 + 2」のようにクエスチョンマーク「?」を用いる方も多いと思いますが、本書ではPythonのprint関数と比較しやすいように、あえてDebug.Printを使用しています。

02 Pythonは大文字と小文字を区別する

Pythonのprint関数とVBAのDebug.Printは、値や式の結果を出力する点でよく似た挙動をします。ですが当然、異なる部分があります。

PythonとVBAの違いで、VBAに慣れた方ほど強く意識しなければならないのが、「大文字」と「小文字」の扱いです。VBAの場合、大文字と小文字の違いを意識する必要はそれほどありませんが、Pythonの場合はしっかりと区別しなければなりません。

VBAでは大文字／小文字は適当でも済む

VBEのイミディエイトウィンドウでは、例えば「Debug」の「D」や「Print」の「P」を小文字で入力した場合でも、「Enter」キーを押すと正常に処理されて結果が出力されます（**図1**）。

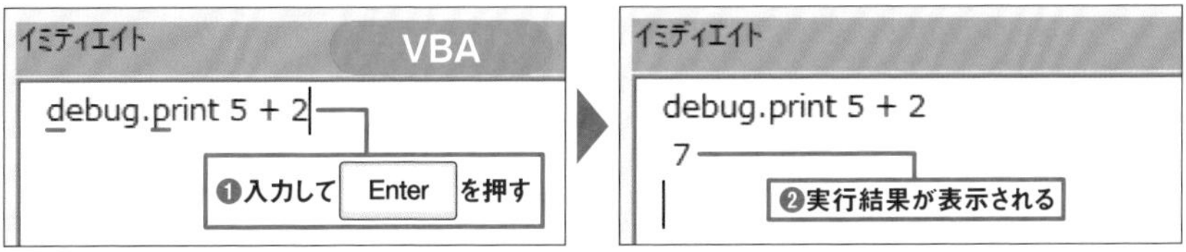

図1 VBEでは、「debug.print」のようにすべて小文字で入力して「Enter」キーを押しても（❶）、問題なく実行される（❷）

また、Subプロシージャなどを作成する際にも、すべて小文字、逆にすべて大文字で入力していても、カーソルがほかの行に移った瞬間に、VBEが自動的に大文字／小文字を適切に変換してくれます（次ページ**図2**）。

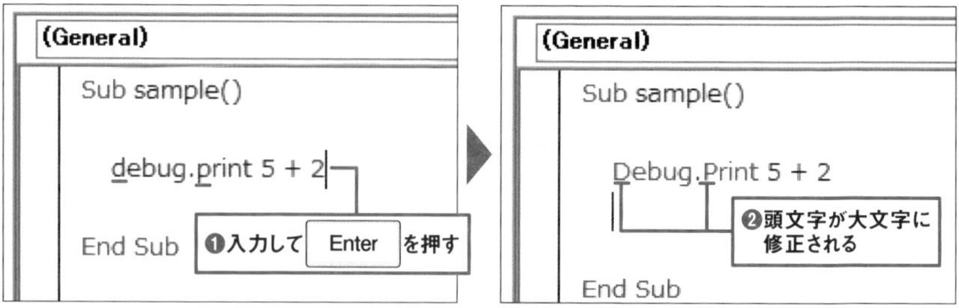

図2 Subプロシージャを入力する際は、1行入力して他の行に移動したときに、英字の大文字／小文字が自動的に変換される（❶❷）

Pythonでは大文字／小文字が厳密に区別される

それに対して、Pythonでは大文字と小文字が厳密に区別されます。大文字／小文字の変換が勝手に行われることもありません。例えば、「print」の先頭の「p」を誤って大文字で「Print（5 ＋ 2）」と入力して実行すると、**図3**のようなエラーが発生します。

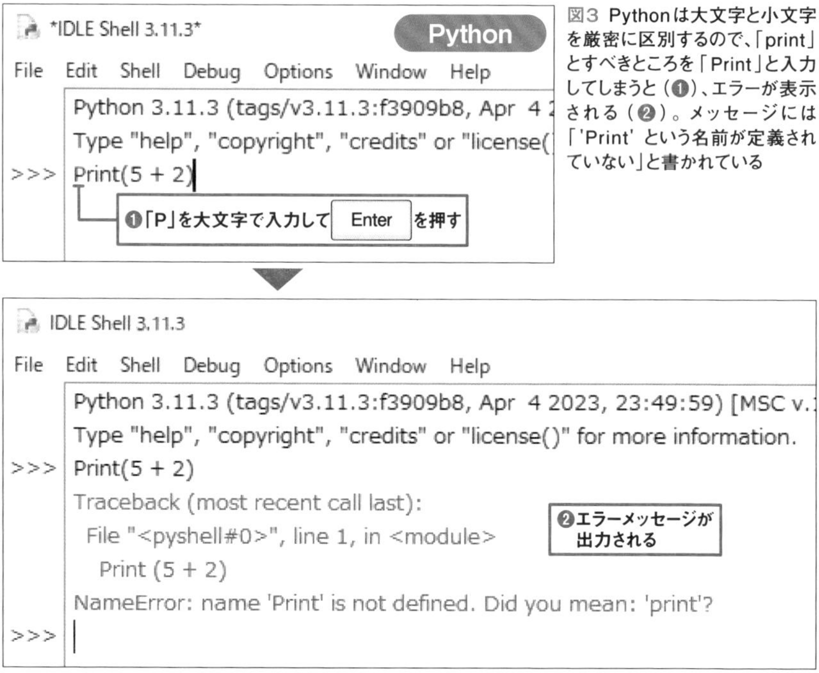

図3 Pythonは大文字と小文字を厳密に区別するので、「print」とすべきところを「Print」と入力してしまうと（❶）、エラーが表示される（❷）。メッセージには「'Print' という名前が定義されていない」と書かれている

VBAでコードを書くときに違いをあまり気にしていなかった方は、Pythonでは大文字／小文字の違いを強く意識してください。

エラーには少しずつ慣れよう

これから図3のようなPythonのエラーをたくさん見ることになると思いますが、少しずつ慣れていきましょう。まずは出力されたエラーメッセージの、一番下の行に注目してください。図3のエラーの場合、

```
NameError: name 'Print' is not defined.
```

という部分です。この行に、どのようなエラーが発生したのかが簡潔に示されています。

上記の場合、種別は「NameError」（識別子エラー）で、「'Print'という名前が定義されていない」というエラーです。「print」は組み込み関数の名前として定義されていますが、「Print」は定義されていないので実行できないというわけです。図3ではさらに「Did you mean: 'print'?」とも出力されていて、「'print'のことですか?」とヒントを与えてくれています。

また、この行の上には、どこでエラーが発生したのかなどが出力されています。

Memo

本書で紹介するエラーの例として、以下のようなものがあります。
SyntaxError（27、66、68ページ）、NameError（86、163ページ）、TypeError（97、99、147ページ）、IndexError（119ページ）、ValueError（153ページ）、ModuleNotFoundError（186ページ）、ImportError（186ページ）

IDLEのフォントを変更する

Shellウインドウに表示される文字が読みにくいと感じたら、フォントの設定を変更するとよいでしょう。それには「Options」のメニューから「Configure IDLE」を選択します（図A）。表示された「Settings」ダイアログボックスの「Fonts」タブで、フォントの種類やサイズを変更できます（図B）。フォントの種類は「Font Face」欄で、サイズは「Size」欄でそれぞれ指定できます。

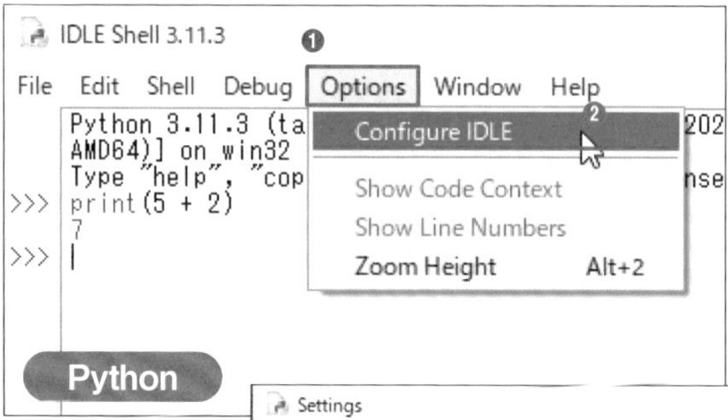

図A Shellウインドウの「Options」メニューを開いて「Configure IDLE」を選ぶ（❶❷）

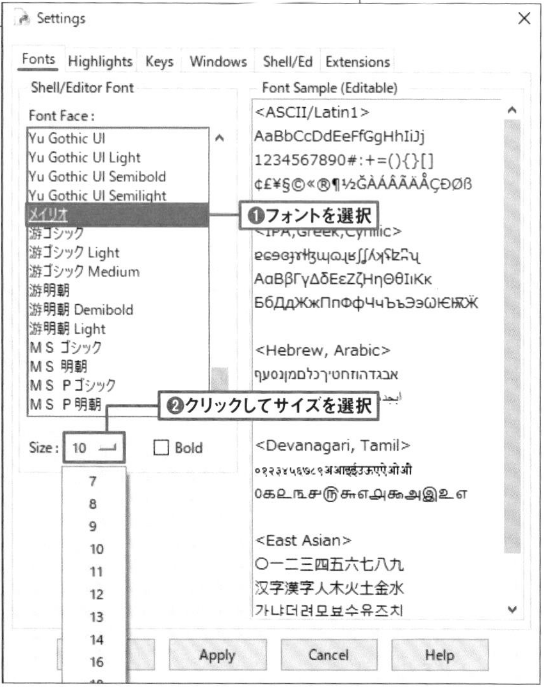

図B 開く設定画面の「Fonts」タブにある「Font Face」欄で、フォントの種類を選ぶ（❶）。その下の「Size」欄をクリックすると、リストからフォントのサイズを選べる（❷）

03 全角と半角の違いにも注意

Pythonではアルファベットの大文字と小文字が明確に区別されることを前節で解説しました。同様に「全角文字」と「半角文字」も区別されます。

日本語入力（IME）をオンにして、Shellウィンドウに全角文字で

```
ｐｒｉｎｔ（５ ＋ ２）
```

Python

を入力し、「Enter」キーを押してください。すると、

```
SyntaxError: invalid character '（' (U+FF08)
```

という構文エラーが表示されてしまいます（**図1**）。

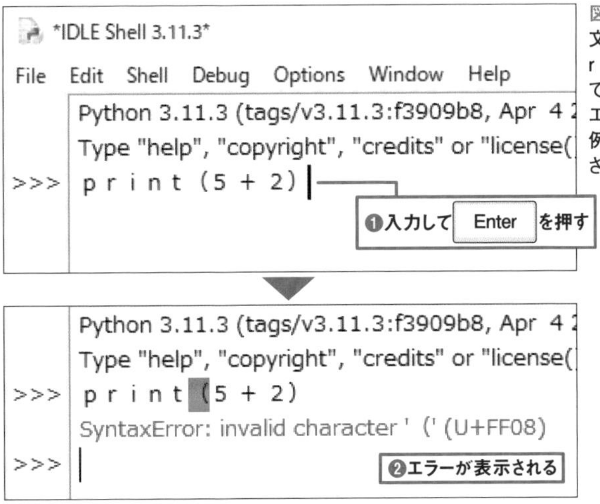

図1 Pythonは全角文字と半角文字を厳密に区別するので、「ｐｒｉｎｔ（５ ＋ ２）」のようにすべて全角で入力してしまうと（❶）、エラーが表示される（❷）。この例では「（」が最初に無効と指摘された

このエラーは「コードポイントU+FF08の '（' という文字が無効です」という意味です。ここでは「（」が指摘されていますが、この「（」を半角に直してから実行

しても、次は「5」の全角文字が無効だと指摘されます。

一方VBAでは、全角文字と半角文字も適当に扱われます。コードを全角で入力しても実行できてしまうため、全角／半角の違いをあまり意識しなくても済んでしまいます（**図2**）。

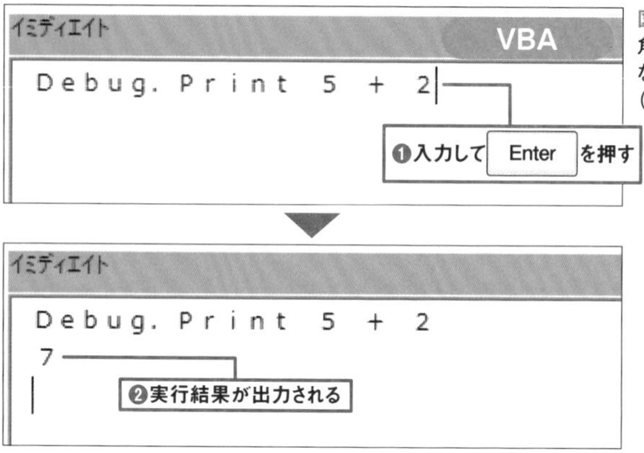

図2　VBAではコードをすべて全角文字で入力しても（❶）、問題なく実行されて結果が出力される（❷）

Pythonを通じて初めてプログラミングを学習する方は、「全角と半角は区別しなければいけないんだ」と慎重に取り組めるでしょう。しかしVBAに慣れている方の場合、これまであまり区別せずに済んでいただけに、うっかり全角で入力してしまったり、大文字と小文字の違いを意識することなく入力してしまったりする恐れがあります。違いを強く意識してください。

Memo　もちろん、コードの中で文字列データとして日本語を扱う場合などは、全角の文字列として記述することはあります。第3章の39ページで入力するように、文字列データを「'」（シングルクオーテーション）でくくって指定する場合などです。

04 同じ演算子と異なる演算子

前節までは、足し算の結果を出力するコードを例に、VBAユーザーの皆さんがPythonのコードを入力する際の注意点をお伝えしました。ここで、計算を行う「演算子」を見ておきましょう。

加減乗除の演算子はVBAと同じ

Pythonの基本的な四則演算は、VBAと似ています。Pythonでも、加減乗除を行う演算子は、VBAと同じ記号を使用します（**図1**）。

演算	Pythonの演算子	VBAの演算子
足し算	+	+
引き算	-	-
掛け算	*	*
割り算	/	/

図1　加減乗除を行うための演算子は、PythonとVBAで同じ記号を使う

VBAの場合、イミディエイトウィンドウで、「Debug.Print 5 - 2」を実行すれば「3」が、「Debug.Print 5 * 2」ならば「10」が、「Debug.Print 5 / 2」なら「2.5」がそれぞれ出力されます（**図2**）。

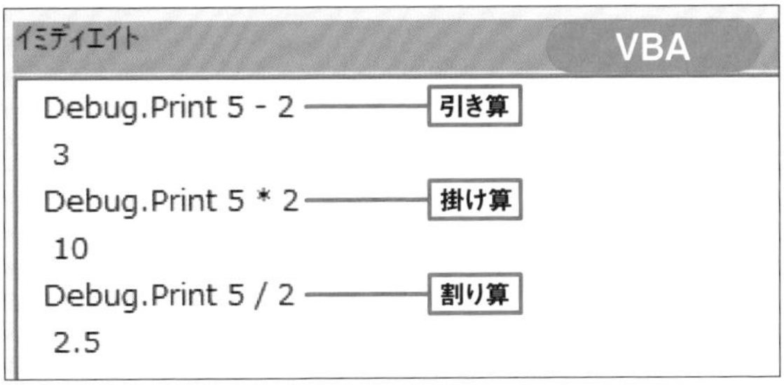

図2　VBEのイミディエイトウィンドウで、引き算、掛け算、割り算を実行し、Debug.Printで出力した例

PythonのShellウインドウでも同じように計算してみましょう。「print(5 - 2)」と

入力して「Enter」キーを押せば引き算の計算結果「3」が、「print(5 * 2)」と入れて「Enter」キーを押せば「10」が、「print(5 / 2)」なら「2.5」が、結果としてそれぞれ出力されます(**図3**)。

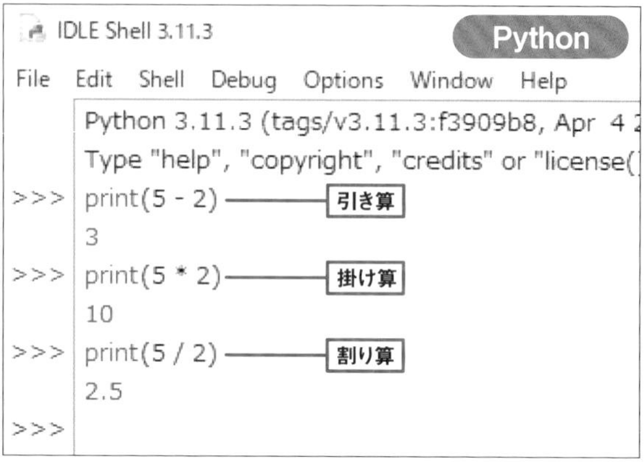

図3 PythonのShellウインドウで引き算、掛け算、割り算を実行し、Print関数で出力した例。演算子はいずれもVBAと同じだ

VBAとPythonで異なる演算子

続いて、VBAとは異なるPythonの演算子を見ていきましょう。プログラミングでよく行う処理に、割り算の「余り」のみや「商」のみを求める計算がありますが、これらに使う演算子は、PythonとVBAで異なります。

●「余り」を求める演算子

割り算の余りを求める演算子は、VBAでは「Mod」です。例えば「Debug.Print 5 Mod 2」というコードを実行すると、「5÷2」という割り算の余り「1」が出力されます(**図4**)。

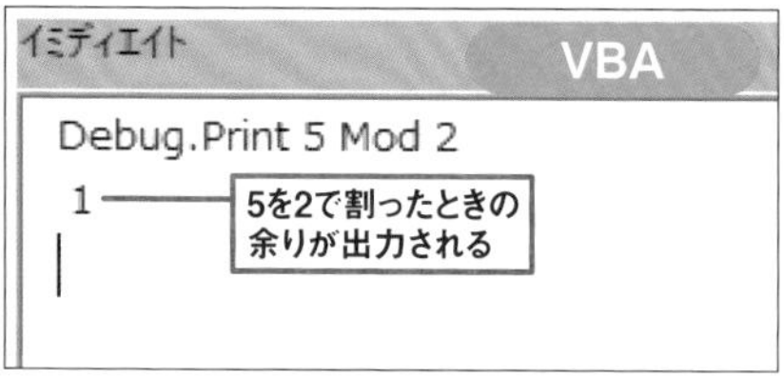

図4 VBAでは「Mod」という演算子を使って割り算の「余り」を求められる。割られる数に続けて「Mod」と入力し、続けて割る数を指定すればよい。数字と演算子の間には半角スペースを入れる。図の例では、5を2で割ると「2余り1」が答えなので、「1」と出力される

PythonでVBAのModに相当する演算子が「%」です。Shellウインドウで、

```
print(5 % 2)
```

Python

と入力して「Enter」キーを押せば、割り算の余り「1」が出力されます（**図5**）。

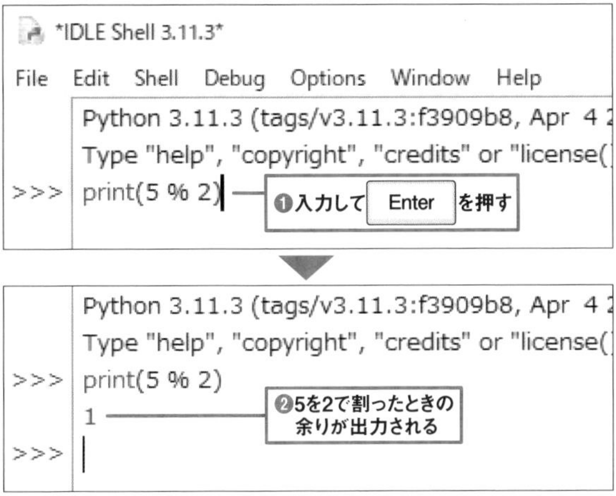

図5 Pythonでは、演算子「%」で割り算の「余り」を求められる（❶❷）。図の例では、5を2で割ったときの答え「2余り1」の余りである「1」が出力される

●「商」を求める演算子

割り算の「商」を求める演算子は、VBAの場合「¥」ですが、Pythonでは「//」です。VBAで「Debug.Print 5 ¥ 2」を実行すると、**図6**のように「2」が出力されます。

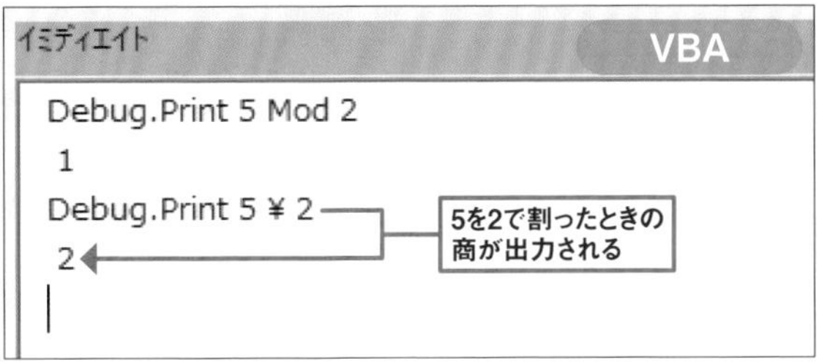

図6 VBAでは、演算子「¥」で割り算の商を求められる。図の例では、5を2で割ったときの答え「2余り1」の商である「2」が出力される

Memo

日本語環境の場合「¥」記号は、フォントの設定によって半角バックスラッシュ「\」として表示される場合があります。

それに対し、Pythonでは

Python

```
print(5 // 2)
```

で、5を2で割ったときの商の「2」が出力されます（**図7**）。「//」は、半角スラッシュを2本続けて入力したもので、間にスペースを入れてはいけません。

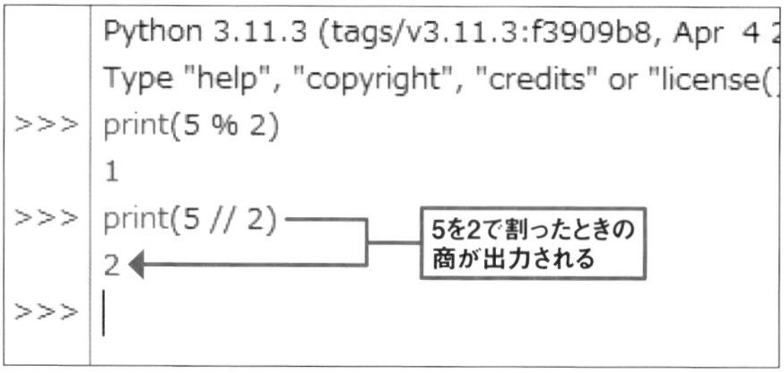

図7 Pythonでは、演算子「//」で割り算の商を求められる。図の例では、5を2で割ったときの答え「2余り1」の商である「2」が出力された

●べき乗を計算する演算子

べき乗（累乗）を計算する演算子もPythonとVBAでは異なります。VBAでべき乗を求める演算子は「^」（ハット）です（**図8**）。日本語キーボードでは「¥」のキーの左隣にある「へ」のキーで入力できます。

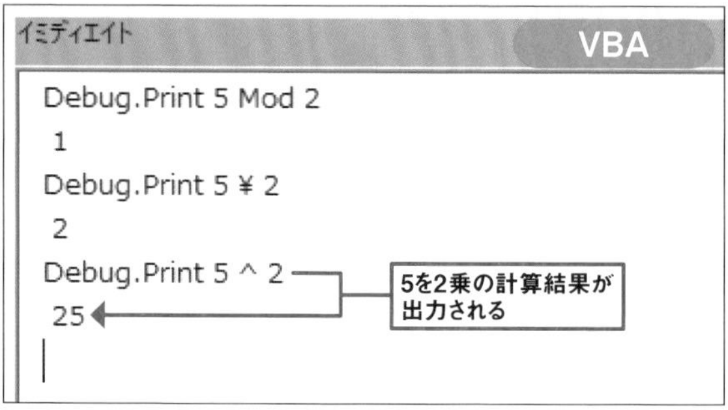

図8 VBAでは、「^」（ハット）記号を使ってべき乗の計算をする。図の例では、5の2乗の結果「25」が出力される

一方Pythonの場合、べき乗を計算する演算子は半角アスタリスク2個「**」です。Shellウインドウで

```
print(5 ** 2)
```

Python

と入力して「Enter」キーを押せば、5の2乗の結果「25」が出力されます（**図9**）。べき乗の演算子「**」も、「//」と同様に、間にスペースを入れず続けて入力してください。

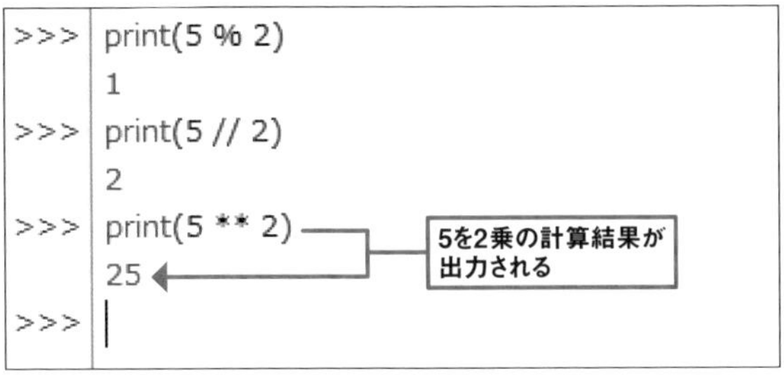

図9 Pythonでは「*」（半角アスタリスク）を2個続けて入力した「**」がべき乗の演算子だ。例えば「5 ** 2」で5の2乗を計算することができる

以上のとおり割り算の余りや商、べき乗を求める演算子は、PythonとVBAで異なっているのでしっかりと意識しましょう（**図10**）。

演算	Pythonの演算子	VBAの演算子
割り算の余り	%	Mod
割り算の商	//	¥
べき乗	**	^

図10 割り算の余りや商、べき乗の演算子はPythonとVBAで異なるので注意が必要だ

入力補完機能の使い方

VBEと同様に、IDLEにもコードの入力をサポートしてくれる補完機能が備わっています。例えば「print」を入力する場合、「p」を入力してから「Tab」キーを押すと、「p」で始まる語句がアクティブな状態で、入力の候補がドロップダウンリストとして表示されます。上下の矢印キーで目当ての候補を選択し、「Enter」キーを押せば入力できます（図A）。

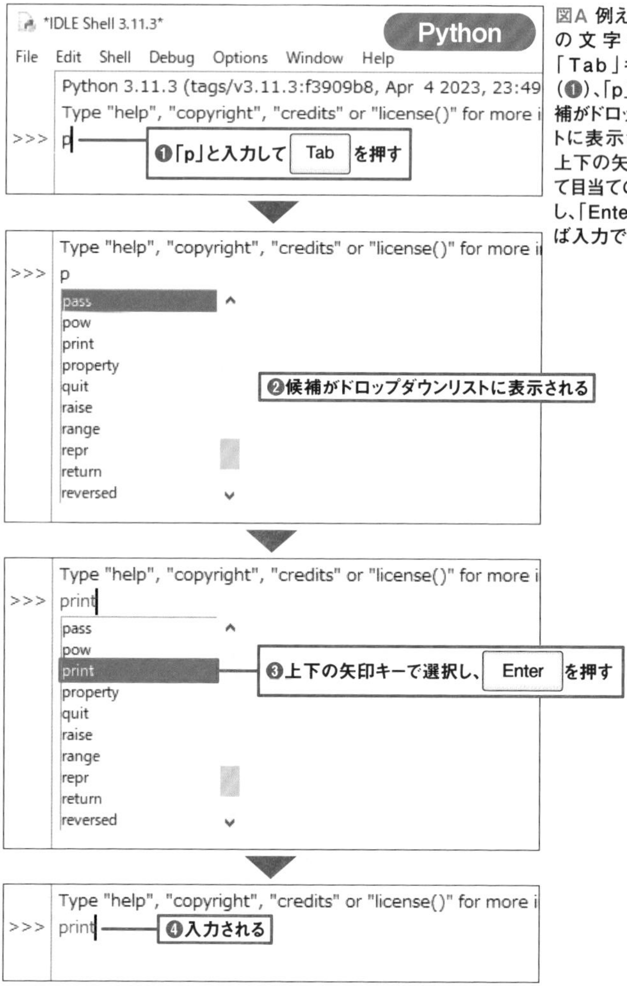

図A 例えば「p」と先頭の文字を入力して「Tab」キーを押すと（❶）、「p」から始まる候補がドロップダウンリストに表示される（❷）。上下の矢印キーを押して目当ての候補を選択し、「Enter」キーを押せば入力できる（❸❹）

Python Programming

第3章

スクリプトを作成・実行してみよう

この章で学ぶこと

- IDLEのEditorウインドウは、VBEのコードウインドウに似ており、「F5」キーでスクリプトを実行できる
- 文字列をくくるクオーテーションは、「'」と「"」のどちらも使える
- 特殊な文字を表すにはエスケープシーケンスを使う
- 文字列の連結には「+」演算子を使用する
- print関数の引数には、複数のデータや、区切り文字などを指定できる

01 IDLEのEditorウインドウとは

第1章の17ページでお伝えした通り、Pythonのコードを実行する方法は、2つあります。1つはコードを1行ごとに入力して実行する「対話モード」。第2章ではIDLEのShellウインドウを使って、この対話モードを使用しました。

もう1つの方法が、事前にスクリプトファイルを作成して、それを実行する「スクリプトモード」です。第3章では、このスクリプトファイルの作成と実行について解説します。加えて、Pythonにおける文字列の扱い方など、コード入力時の基本事項もお伝えします。

繰り返し使うスクリプトを作成するには

IDLEのShellウインドウは、Visual Basic Editor（VBE）のイミディエイトウィンドウに似ていることを学習しました。VBEのイミディエイトウィンドウは、1行ずつコードを入力・実行できるので、コードを手軽に試せるのが利点です。

一方、繰り返し使うマクロを作成する場合、コードウインドウ上でコードを入力します（**図1**）。標準モジュールをコードウインドウに表示し、Subプロシージャを作成することで、繰り返し使用できるマクロを作れます。

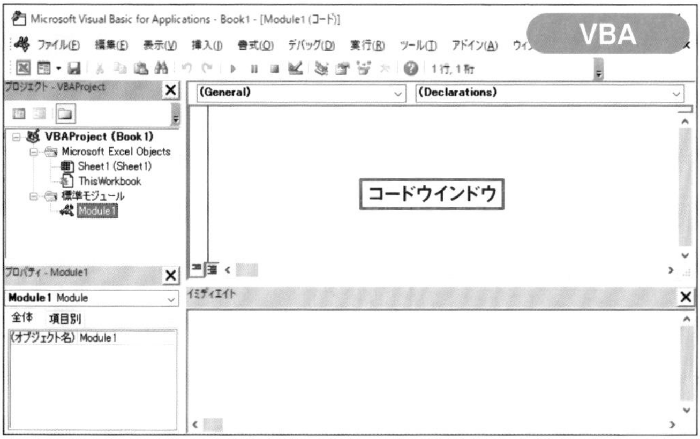

図1　VBAでは繰り返し使うプログラムをコードウインドウで作成する

PythonのIDLEもよく似ています。実務で繰り返し使用するようなコードの場合、対話モードで使ったShellウインドウとは別の「Editor（エディター）ウインドウ」を使います。

Shellウインドウの「File」メニューから「New File」を選択するか、ショートカットキー「Ctrl」+「N」を押すと（**図2**）、Editorウインドウが起動します。

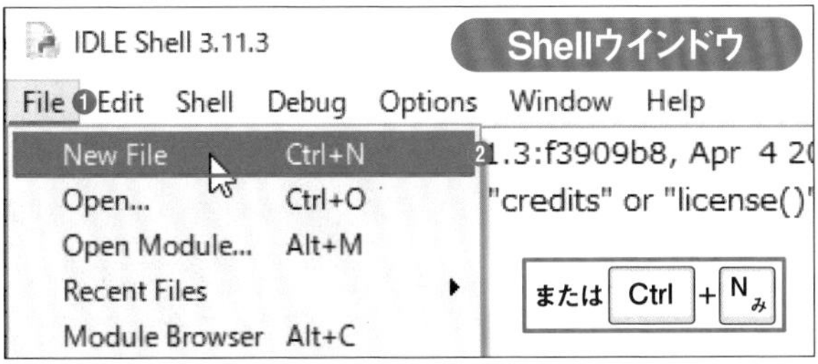

図2 IDLEのShellウインドウを起動して「File」メニューから「New File」を選ぶと（❶❷）、新規のEditorウインドウが開く。「Ctrl」+「N」というショートカットキーでも開ける

タイトルバーに「untitled」と表示された、新しいウインドウがEditorウインドウです（**図3**）。

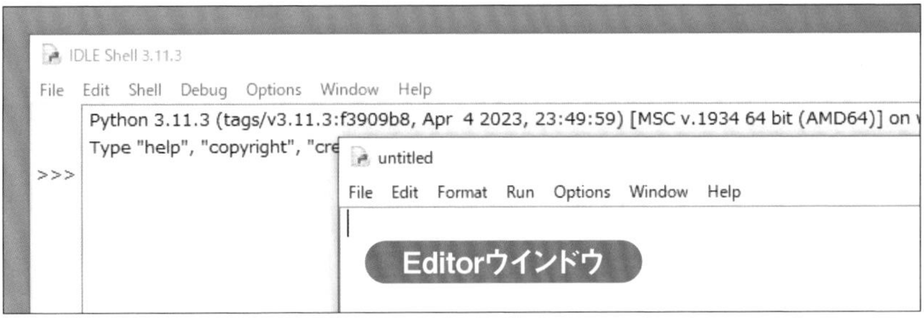

図3 Shellウインドウとは別に、上端のタイトルバーに「untitled」と表示された新規のEditorウインドウが開く。IDLEでは、ここに繰り返し使うコードを書く

このウインドウを「コードウインドウ」「編集ウインドウ」などとしている書籍もありますが、本書では公式サイトに従い「Editorウインドウ」と表記します。

Excel VBAの場合、マクロは「標準モジュール」をコードウインドウ内に表示し、「Subプロシージャ」として作成します。これと同様に、PythonではEditorウインドウでスクリプトを書きます。

Memo

Pythonでは、ひとまとまりになった一連のコードを「スクリプト」と呼びます。

Editorウインドウは複数起動することができ、一般的なWindowsアプリケーションと同じように、「Alt」+「Tab」キーでウインドウを切り替えたり、「Alt」+「F4」キーで閉じたりできます。34ページのコラムでお伝えした入力補完機能も、Shellウインドウと同じように使えます。

ShellウインドウとEditorウインドウの違い

ShellウインドウとEditorウインドウはよく似ていますが、微妙な違いがありますので、意識しておきましょう。

Shellウインドウには画面の左側にプロンプト「＞＞＞」が表示されますが、Editorウインドウには表示されません。ウインドウ上部（メニューバー）に並んでいるメニュー（コマンド）も、よく見ると微妙に異なります。左から2つは「File」「Edit」、5つめ以降は「Options」「Window」「Help」と同じですが、3つめと4つめが両者で異なります。Shellウインドウでは3つめが「Shell」、4つめが「Debug」ですが、Editorウインドウでは3つめが「Format」、4つめが「Run」となっています（**図4**）。

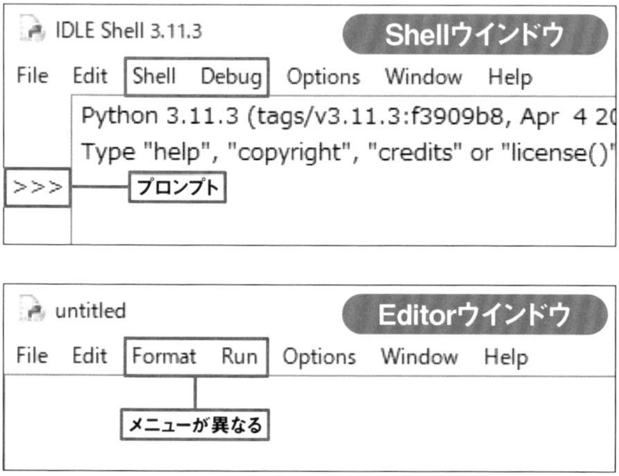

図4 IDLEのShellウインドウとEditorウインドウの違い。Shellウインドウには「>>>」というプロンプトがウインドウ左側に表示される。メニューの構成も異なり、3つめと4つめが別の項目になっている

02 スクリプトの作成と保存

VBAで**図1**のSubプロシージャを実行すると、イミディエイトウィンドウに「合格」と出力されます。

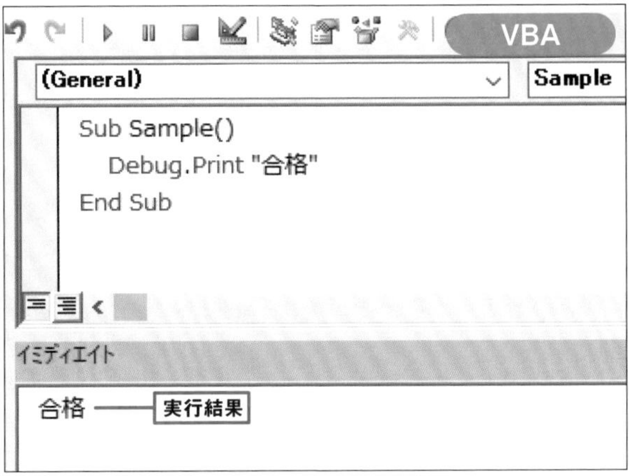

図1 VBEのコードウインドウに標準モジュールを表示し、図のようなSubプロシージャを作成・実行すると、イミディエイトウィンドウに「合格」と出力される

スクリプトの作成

このSubプロシージャに似た処理を行うPythonのスクリプトを作りましょう。IDLEのEditorウインドウで、以下のようにコードを入力してください。

Python

```
print('合格')
```

第2章でも使用したprint関数を使って出力を行う、1行だけのスクリプトです。VBAのように、「Sub」に続けてプロシージャ名を書いたり、最後に「End Sub」を書いたりする必要はありません。プロシージャの中身（ここでは「Debug.Print "合格"」）に相当するコードだけを書くわけです（次ページ**図2**）。

図2 IDLEのEditorウインドウで、図のように1行のみのコードを書く

Shellウインドウで入力したときと同様、「print」は日本語入力(IME)がオフの状態で、すべて半角の小文字で入力します。print関数の半角カッコ内に指定する引数には、文字列「合格」を、半角のシングルクオーテーション「'」でくくって入力してください。

スクリプトの保存

コードの入力ができたら、名前を付けて保存します。「File」メニューから「Save」を選択するか、ショートカットキー「Ctrl」+「S」を押すと、「名前を付けて保存」ダイアログボックスが表示されますから、保存先フォルダーとファイル名を指定して保存してください(**図3**)。

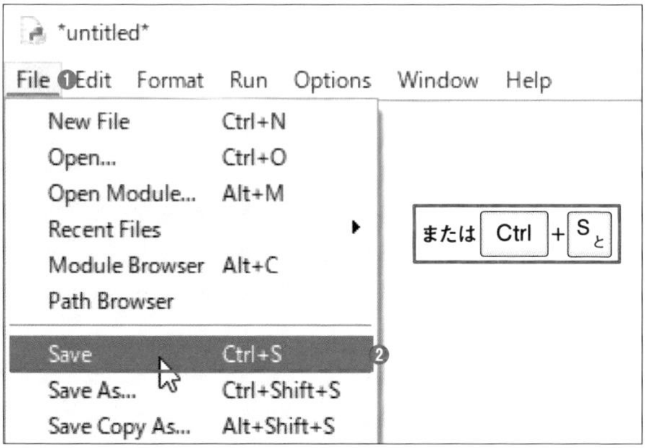

図3 スクリプトを保存するには、「File」メニューから「Save」を選ぶ(❶❷)。「Ctrl」キーを押しながら「S」キーを押す方法でもよい

本書では、Cドライブの直下に「temp」フォルダーを用意し、その中に「chapter_03」という名前で保存しました(**図4**)。保存場所は好みのフォルダーに変えても構いません。

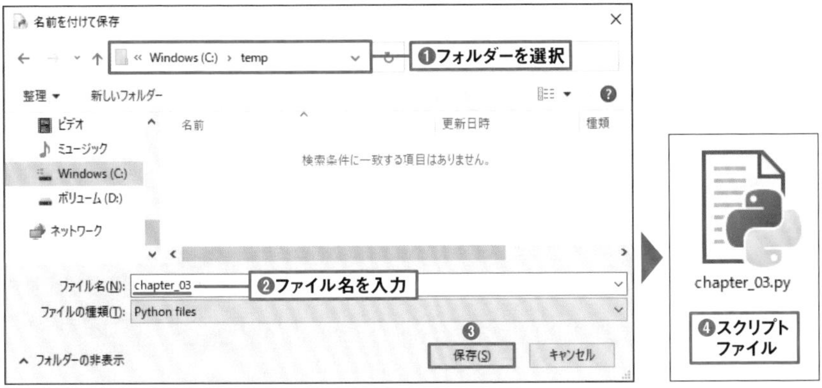

図4 「名前を付けて保存」画面が開くので、保存場所を選択し（❶）、ファイル名を入力して「保存」を押す（❷～❹）。通常は「.py」という拡張子が付いたファイルになる

保存を行うと、Editorウインドウのタイトルバーにファイル名とパスが表示されます（**図5**）。

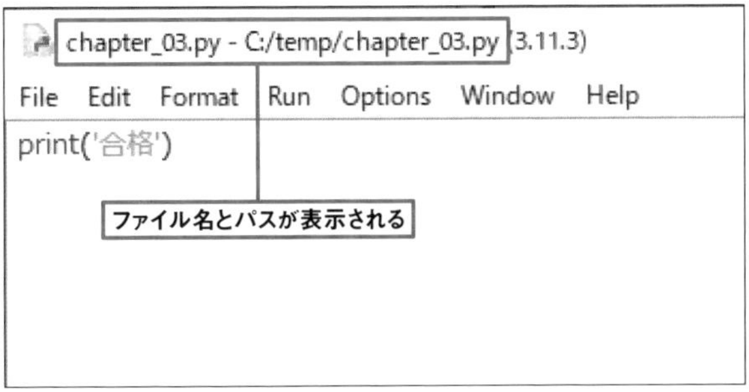

図5 スクリプトファイルを保存すると、Editorウインドウのタイトルバーにファイル名とパスが表示される

03 スクリプトの実行

スクリプトを入力してファイルとして保存できたら、スクリプトを実行してみましょう。先ほど作成したスクリプトを実行すると、その結果はShellウインドウに出力されますから、まず、EditorウインドウとShellウインドウの両方が見られる状態にしてください（**図1**）。

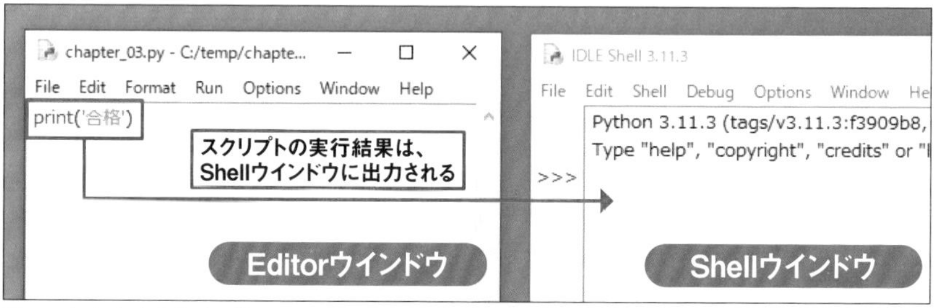

図1　スクリプトを実行する前に、画面の左右にEditorウインドウとShellウインドウを並べて、両方が見られる状態にしておく

Editorウインドウから「F5」キーで実行

Editorウインドウからスクリプトを実行するには、「F5」キーを押します（**図2**）。VBEでSubプロシージャを実行するのと同じショートカットキーが割り当てられています。「Run」メニューにある「Run Module」を選択しても構いません。

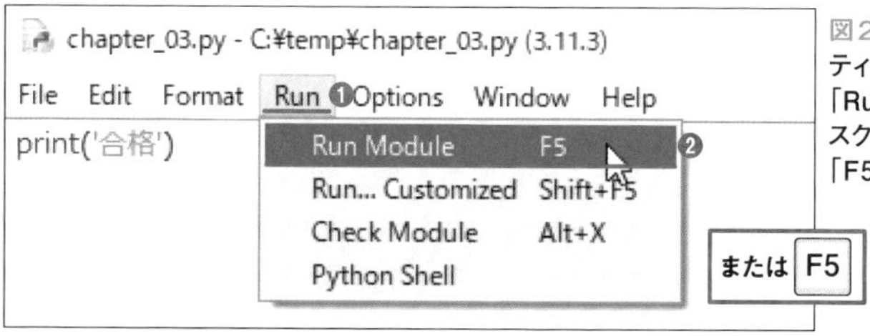

図2　Editorウインドウをアクティブにして「Run」メニューから「Run Module」を選ぶと、そのスクリプトを実行できる（❶❷）。「F5」キーでも実行できる

実行すると、Shellウインドウに**図3**のような2行が出力されます。

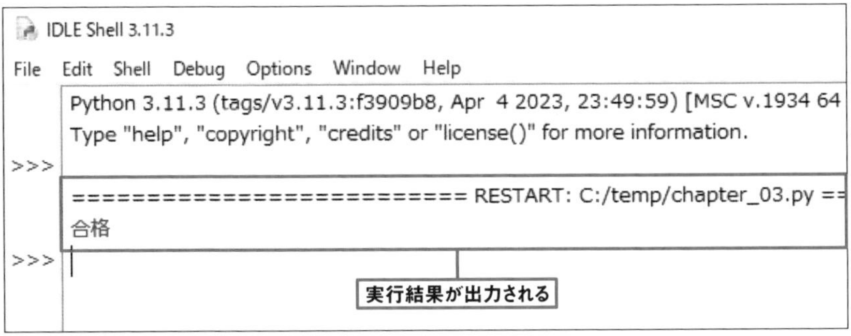

図3 print関数の結果は、Shellウインドウに出力される

出力結果の意味

Shellウインドウに表示された1行目、

```
================== RESTART: C:/temp/chapter_03.py ==================
```

は、Cドライブのtempフォルダーに存在する「chapter_03.py」を実行したことを示しています。ほかのフォルダーに保存したり、別のファイル名にしたりした場合、別の文字列が出力されます。

その次に出力された

```
合格
```

が、Editorウインドウでchapter_03.pyに入力した

```
print('合格')
```

というコードの実行結果です。

VBEのコードウインドウで実行した「Debug.Print "合格"」の結果が、イミディエイトウィンドウに出力されるのと似た挙動です（次ページ**図4**）。

図4　VBEのコードウインドウにSubプロシージャを作成してDebug.Printを実行すると、イミディエイトウィンドウに結果が出力される

スクリプトファイルを開いて実行する

以前に保存したスクリプトファイルを開いて実行することも、もちろん可能です。Shellウインドウや Editorウインドウで「File」→「Open...」を選ぶか、ショートカットキー「Ctrl」+「O」を押すと、「開く」ダイアログボックスが開くので、実行したいスクリプトファイルを選びます（**図5**、**図6**）。

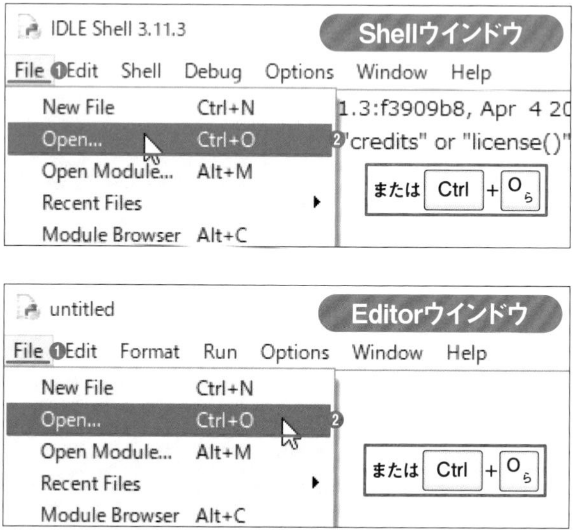

図5　保存済みのスクリプトファイルを開くには、ShellウインドウやEditorウインドウを開いて「File」メニューから「Open...」を選ぶ（❶❷）。「Ctrl」キーを押しながら「O」キーを押す方法でもよい

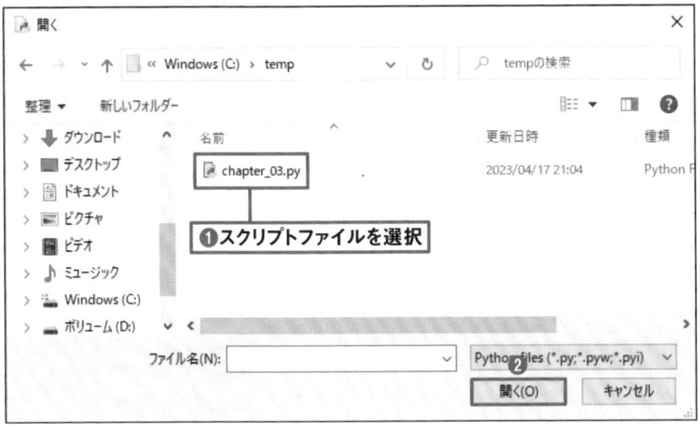

図6 「開く」ダイアログが表示されたら、実行したいスクリプトファイルを選んで「開く」ボタンを押す（❶❷）

すると、新たなEditorウインドウが開いて、スクリプトが表示されます。これで、「F5」キーを押すなどしてスクリプトを実行できるようになります。

IDLEの作業フォルダーを指定する

初期状態のIDLEでは、作業フォルダーがPythonをインストールしたフォルダーになっています。すなわち、Cドライブ→Users→（ユーザー名）→AppData→Local→Programs→Python→Python311とたどった場所が作業フォルダーになっています。スクリプトファイルを保存したり開いたりする際には、この作業フォルダーが真っ先に開くため、本書の指示どおりにCドライブのtempフォルダーを選択するのを面倒に感じているかもしれません。

その場合は、図A～次ページ図Cの手順でIDLEの作業フォルダーを変更してください。

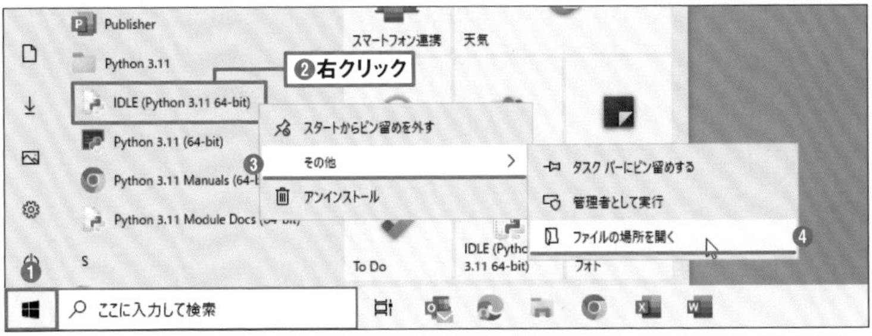

図A スタートメニューの「IDLE(Python 3.11 64bit)」上で右クリックし（❶❷）、「その他」→「ファイルの場所を開く」を選ぶ（❸❹）[注]

[注]画面サイズによっては「その他」が表示されずに直接「ファイルの場所を開く」の項目を選べる。Windows 11では「その他」は「詳細」と表示される

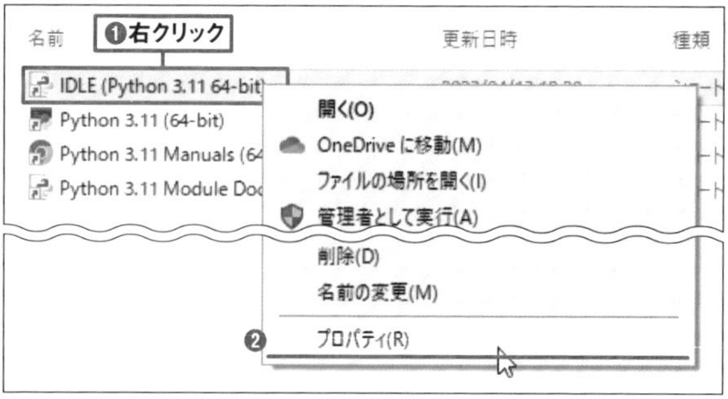

図B ショートカットが保存されたフォルダーがエクスプローラーで開くので、「IDLE (Python 3.11 64-bit)」を右クリック（❶）。メニューから「プロパティ」を選ぶ（❷）

図C IDLEのプロパティ画面が開くので、「ショートカット」タブを表示（❶）。「作業フォルダー」欄に入っているパスを「C:¥ temp」に書き換えて、「OK」ボタンを押す（❷❸）

以上のように設定すると、IDLEのShellウインドウやEditorウインドウでファイルを開いたり保存したりする際、Cドライブのtempフォルダーがすぐに開くようになります。

04 文字列をくくるクオーテーション

ここで、Pythonで文字列を扱うときのコードの基本についてお伝えします。先ほど作成・実行したスクリプトでは、次のようにコードを記述していました。

Python
```
print('合格')
```

VBAの場合、文字列は半角のダブルクオーテーション「"」でくくって指定するのがルールですが、Pythonでは半角のシングルクオーテーション「'」と、半角のダブルクオーテーション「"」が使えます。上記のコードは、ダブルクオーテーションを使って

```
print("合格")
```

と書いても問題はなく、同じ実行結果になります。「'」と「"」のどちらでも構いませんが、本書では基本的にシングルクオーテーションを使います。

文字としてクオーテーションを出力する

文字列の指定にシングルクオーテーションとダブルクオーテーションの両方が使えることは、文字として「'」や「"」を出力したいときに便利です。

VBAの場合、文字列をくくるのはダブルクオーテーションだけですから、文字として「"」を出力したいときにちょっと面倒です。例えば「彼は"合格"だった。」という文字列を出力したいとき、VBAではダブルクオーテーションを2つ続けて「""」のように指定します。すなわち、

VBA
```
Debug.Print "彼は""合格""だった。"
```

のようにコードを書くことで、**図1**のように出力できます。

図1　VBAで文字としてダブルクオーテーション「"」を出力したいときは、ダブルクオーテーションを2つ続けて「""」のように指定する

これに対してPythonの場合は、「'」と「"」の両方が使えるため、

```
print('彼は"合格"だった。')
```

Python

のように、文字列全体をシングルクオーテーションでくくることで、文字としての「"」を出力できます（**図2**）。

図2　Pythonでは、文字列全体をシングルクオーテーション「'」でくくることで、その中で使われているダブルクオーテーション「"」を文字としてそのまま出力できる

逆に文字としての「'」を出力したいときは、

```
print("彼は'合格'だった。")
```

のように、文字列全体をダブルクオーテーションでくくればよいわけです（**図3**）。

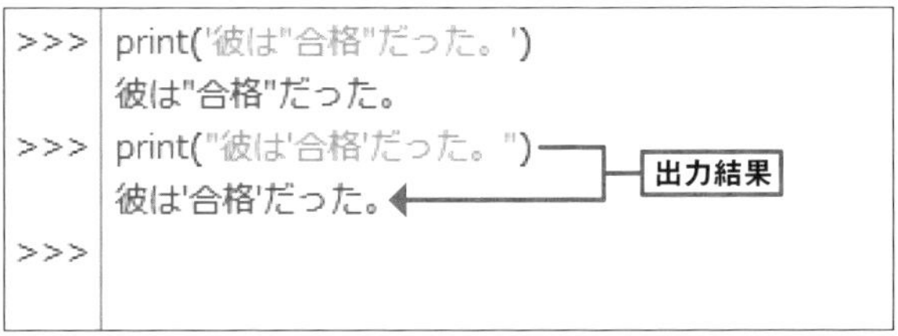

図3　文字列全体をダブルクオーテーション「"」でくくれば、その中で使われているシングルクオーテーション「'」を文字としてそのまま出力できる

05 特殊文字を表すエスケープシーケンス

文字列を出力するときに、途中で改行したり、タブを入れて字下げしたりしたい場合もあります。改行やタブといった特殊な文字は、VBAの場合vbCrLfやvbTabなどの定数を使って指定しますが、Pythonでは「¥」記号を組み合わせて指定します。こうした特殊な文字の表現方法を、「エスケープシーケンス」と呼びます。

Shellウインドウで簡単なコードを実行して確認しましょう。Pythonで改行を指定するには、「¥」と「n」を組み合わせます。

Python

```
print('合¥n格')
```

を実行すると、**図1**のように出力されます。「合」と「格」の間で改行され、2行にわたって出力されます。

図1 Pythonでは「¥n」で改行を指定できる。「合¥n格」のように文字列を指定すると、「合」と「格」の間で改行される

タブ文字を指定するには、「¥」と「t」を組み合わせます。

```
print('合¥t格')
```

を実行すると、次ページ**図2**のように出力されます。「合」と「格」の間にタブ文字が入り、数文字分の空白ができます。

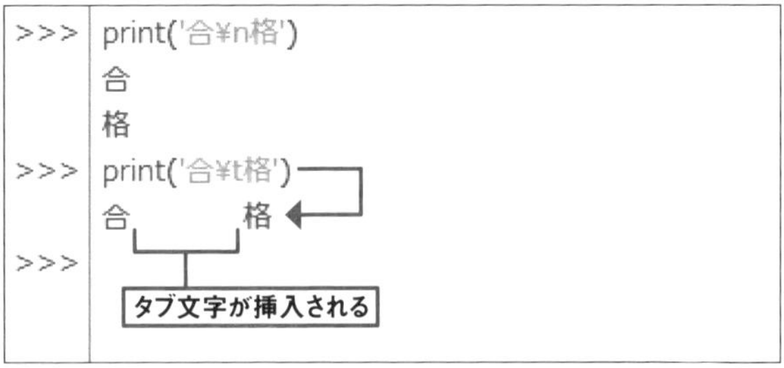

図2 Pythonでは「¥t」でタブを指定できる。「合¥t格」のように文字列を指定すると、「合」と「格」の間に空白ができる

文字としての「¥」を出力する場合は、「¥」と「¥」を2つ続けて、次のように指定します。

```
print('¥¥100')
```

このコードを実行すると、**図3**のように出力されます。

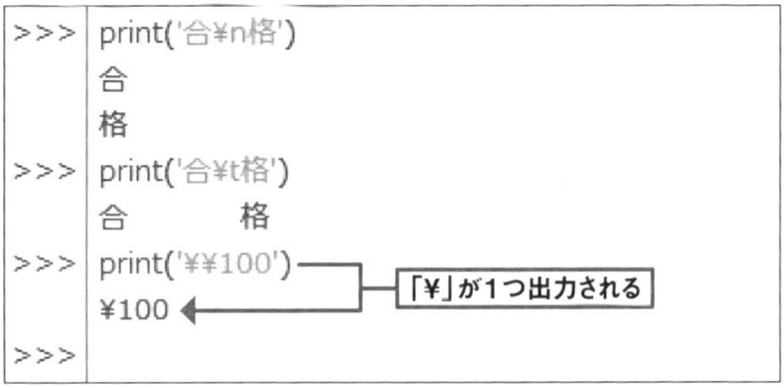

図3 Pythonで「¥」記号を出力するには、「¥¥」のように「¥」を2回続けて指定する

このほかエスケープシーケンスを使うと、前節で見たシングルクオーテーションやダブルクオーテーションの指定もできます。「¥」と「'」を組み合わせて指定すれば、シングルクオーテーションの中で「'」を指定することができます。

```
print('彼は¥'合格¥'だった。')
```

というコードで、**図4**のように出力できます。

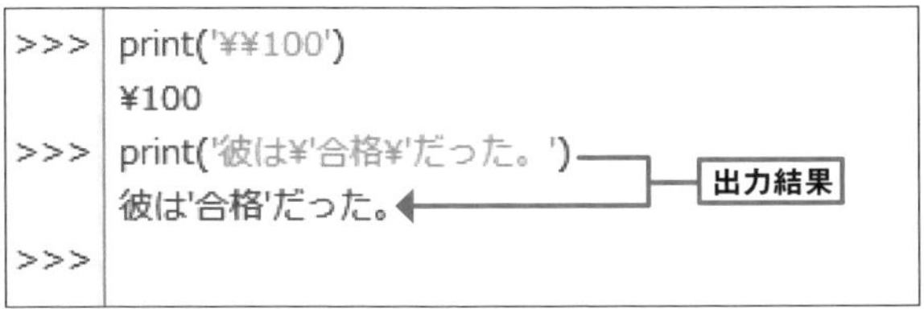

図4 「¥」記号の後ろに「'」を指定すれば、「'」でくくった文字列の中で、「'」を出力できる

同様に、「¥」と「"」を組み合わせて指定すれば、ダブルクオーテーションの中で「"」を指定できます。

```
print("彼は¥"合格¥"だった。")
```

というコードで、**図5**のように出力できます。

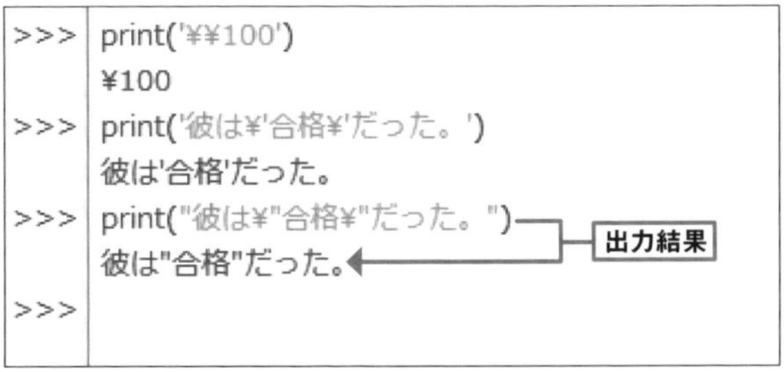

図5 「¥」記号の後ろに「"」を指定すれば、「"」でくくった文字列の中で、「"」を出力できる

06 文字列に関連する演算子

　プログラミングで文字列を扱うとき、よく行う操作の1つが文字列の連結です。計算結果の数値に単位を表す文字を連結して出力したり、フォルダーのパスにファイル名を連結してフルパスにしたりと、文字列の連結はプログラミングで必須の操作といえます。

　VBAで文字列を連結するには、一般に「&」記号を利用します。例えば、

VBA

```
Debug.Print "彼は" & "合格でした。"
```

を実行すると、イミディエイトウィンドウに

```
彼は合格でした。
```

と出力されます。

Pythonでは「+」記号で連結する

　一方、Pythonで文字列を連結するには、足し算と同じ「+」記号を使います。Shellウインドウに

Python

```
print('彼は' + '合格でした。')
```

のように入力して実行してみましょう。すると、「彼は」と「合格でした。」が連結され、「彼は合格でした。」と出力されます（**図1**）。

Memo

VBAでは文字列の連結を「&」記号で行うのが一般的ですが、実は「+」記号で連結することも可能です。

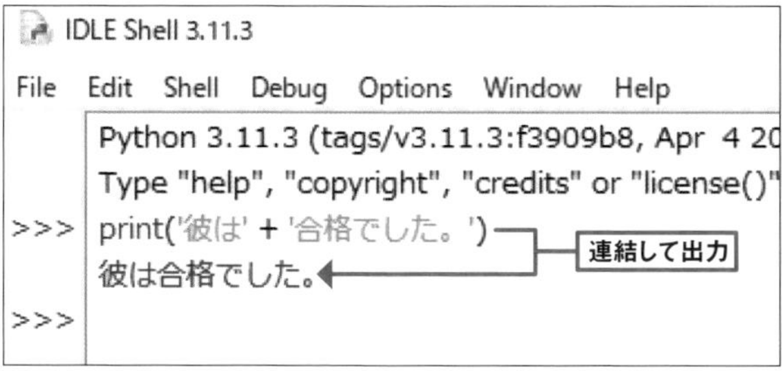

図1 Pythonでは「+」記号を使って文字列を連結する。図のprint関数は、「彼は」と「合格でした。」を連結した文字列を出力する

Memo

「&」もPythonの演算子ですが、「&」を使ってVBAのような文字列の連結はできません。Pythonの「&」は、ビットごとの論理積を求める演算子です。

文字列を繰り返す演算子

Pythonでは、数値で掛け算を行う演算子「*」を、文字列に対して使うこともできます。例えば、

```
print('合格' * 3)
```

のように書いて実行すると、「合格」という文字列を3回繰り返すことができます（**図2**）。

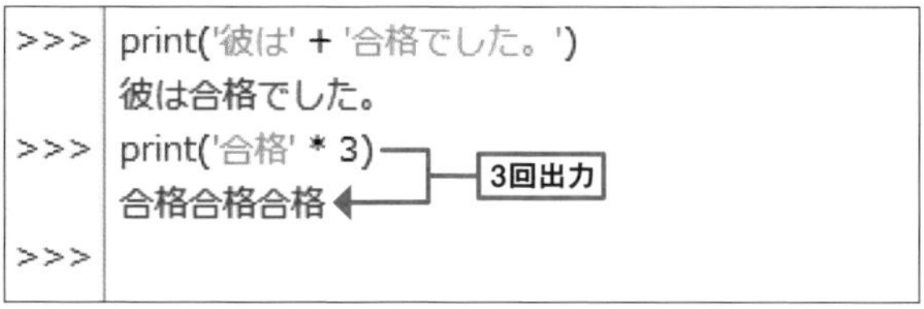

図2 Pythonでは「*」記号を使って文字列の繰り返しができる。文字列に対して「 * 3」と指定すれば3回繰り返される

07 print関数には引数を複数指定できる

本章の最後に、これまで繰り返し使ってきたprint関数について、もう少し解説しておきます。ここまでは、print関数に引数を1つしか指定してきませんでしたが、実は複数の引数を指定することができます。

print関数には、出力したいデータをカンマで区切って複数指定でき、

```
print('松', '竹', '梅')
```

Python

のように3つの文字を引数に指定すると、**図1**のように、引数に指定した「松」「竹」「梅」が半角スペースを間に挟んだ状態で出力されます。

図1　print関数の引数に3つの文字をカンマ「,」で区切って指定すると、それらが半角スペースを間に挟んだ状態で出力される

引数「sep」で区切り文字を指定

print関数で複数のデータを引数に指定する際、それらを特定の文字で区切って出力することもできます。例えば、

```
print('松', '竹', '梅', sep='☆')
```

のように引数に指定すると、「sep='☆'」が、区切り文字(separator)に「☆」を

使え、という指示になり、**図2**のように出力されます。

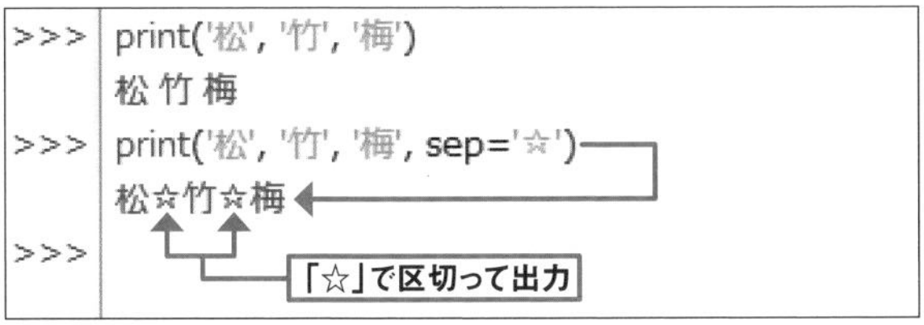

図2 print関数の引数に「sep='☆'」のように指定すると、複数の文字列を「☆」で区切って出力できる

「sep='☆'」は、print関数に指定できる「sep」という名前の引数に文字列「☆」を指定する書き方で、VBAの「名前付き引数」に似た指定方法です。Pythonの場合、こういった引数を「キーワード引数」といいます。一方、通常の引数を「位置引数」といいます。先に見た

```
print('松', '竹', '梅')
```

は、次のように引数sepに半角スペースを指定していたのと同じだったわけです。

```
print('松', '竹', '梅', sep=' ')
```

キーワード引数の注意点

VBAの名前付き引数では引数名に指定する値をつなぐ記号に半角のコロンとイコール「:=」を使いますが、Pythonのキーワード引数では半角イコール「=」を使います。先ほどの「print('松', '竹', '梅', sep='☆')」のように、位置引数とキーワード引数を混在させて使うことも可能です。このような場合、キーワード引数は位置引数の後に指定する必要があります。

print関数には、ほかにも指定できる引数がありますから、慣れてきたら公式ドキュメントなどを確認してください。

Memo
print関数に関する公式ドキュメント
https://docs.python.org/ja/3/library/functions.html#print

「コメント」の入力方法

プログラミングを行うとき、そのコードが何をするものなのか、どんな目的でそのコードを書いたのかなど、後から見たときにわかるように“メモ書き”しておくことがあります。このようなメモ書きを「コメント」といいます。

VBAでは、シングルクオーテーション「'」の右側に入力した内容がコメント扱いになり、その行の末尾までがコメントになります。VBEの画面上では緑色の文字として表示され、通常のコードと区別されます(**図A**)。

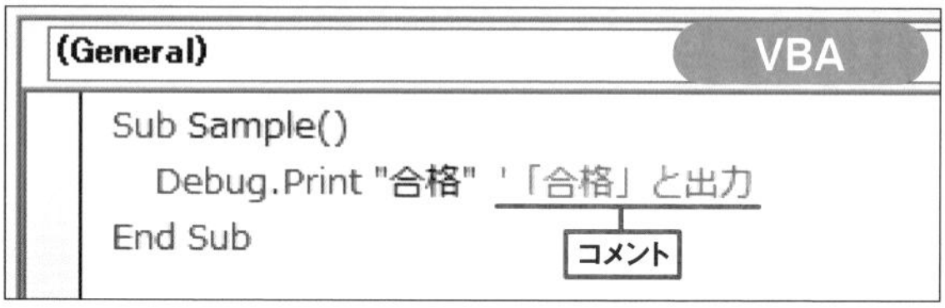

図A VBAではシングルクオーテーション「'」の後ろに入力した緑色の文字がコメントになる

Pythonでも同様に、スクリプトにコメントを付けることができます。Pythonでは、「#」以降、その行末までの内容がコメントとして扱われます。例えば、

```
print('合格')    #「合格」と出力
```

Python

というコードを実行すると、「#「合格」と出力」の部分はコメントになり実行時に無視されるため、文字列「合格」だけがShellウインドウに出力されます。

なお、IDELのEditorウインドウでは、コメント部分が赤い文字で表示されます(**図B**)。

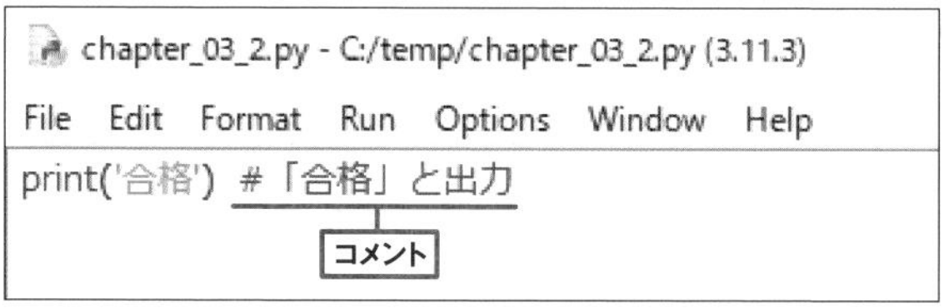

図B Pythonでは「#」の後ろに入力した内容がコメントになる。Editorウインドウでは赤色の文字で表示される

Python Programming

第4章

条件分岐とブロックを理解しよう

この章で学ぶこと

- Pythonでは行末の「:」とインデントでブロックを構成する
- 「elif」がVBAの「ElseIf」に相当する
- 比較演算子の「等しい」は「==」、「等しくない」は「!=」
- 含まれるかどうかを判定する演算子「in」がある

01 if文の基本

第4章では、プログラミングに欠かせない制御文の1つ「条件分岐」について解説します。条件分岐の書き方とともに、Pythonの大きな特徴である、行末のコロン「:」とインデントの役割について学習しましょう。

VBAのIf

まずはVBAの「If」を使った条件分岐を思い出してください。

```
Dim point As Long
point = 80
If point >= 80 Then
    Debug.Print "合格"
End If
Debug.Print "−−"
```

VBA

というコードを含むSubプロシージャを実行した場合、イミディエイトウィンドウに「合格」と「−−」が出力されます（**図1**）。80点以上のときに「合格」と判定する例で、最後の「−−」 は、処理が完了したことを明確にするために出力しています。

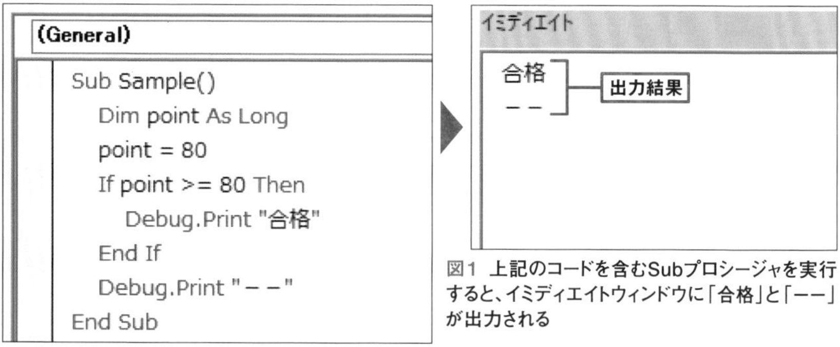

図1　上記のコードを含むSubプロシージャを実行すると、イミディエイトウィンドウに「合格」と「−−」が出力される

これは学習用のサンプルですから、「point = 80」とコード内で変数pointに値を代入し、結果をイミディエイトウィンドウに出力していますが、Excel VBAなら数値データをセルから取得し、出力先もセルにすることでしょう。

変数pointに代入する値を、以下のように「79」に変更してから再度実行するとどうなるでしょうか。

```
Dim point As Long
point = 79 ← 代入する値を「79」に変更
If point >= 80 Then
    Debug.Print "合格"
End If
Debug.Print "−−"
```

If〜End Ifの外にある「−−」だけが、**図2**のようにイミディエイトウィンドウに出力されます。

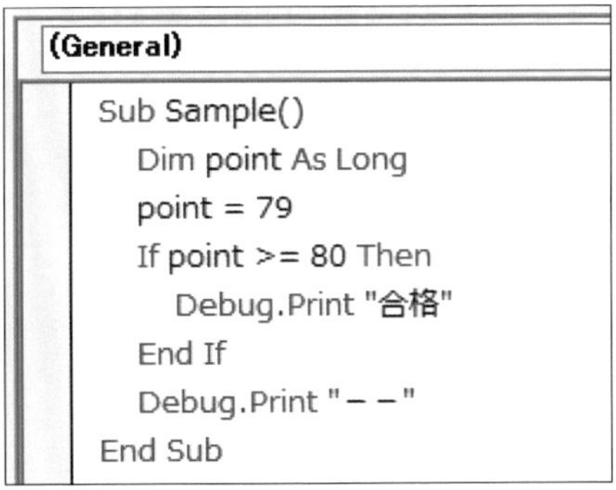

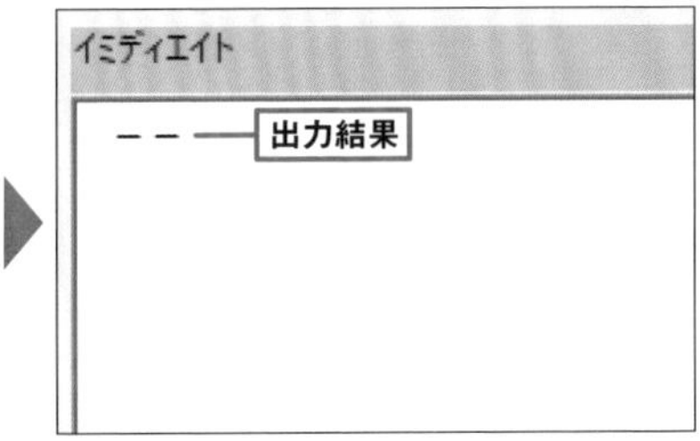

図2 変数pointの値を「79」に変更して実行すると、イミディエイトウィンドウに「−−」のみが出力される

Pythonのif文

同様の処理をPythonで書くと、次ページのようなコードになります。

Python

```
point = 80
if point >= 80:
    print('合格')
print('--')
```

VBAの条件分岐をご存じの皆さんの場合、Pythonのif文を見るのが初めてでも、何となく意味はわかると思います。先頭の

```
point = 80
```

の行で変数pointに「80」を代入して、

```
if point >= 80:
```

の行で、「もしも変数pointの値が『80』以上であったならば」と条件を判定します。この条件に合致する場合は

```
    print('合格')
```

で「合格」と出力します。そして最後に

```
print('--')
```

で「--」を出力しています。

Pythonのコードは短くなる場合が多い

似た処理を行うコードですが、VBAでは6行必要だったのに対し、Pythonでは4行で済んでいます。

VBA

```
Dim point As Long
point = 80
If point >= 80 Then
    Debug.Print "合格"
End If
Debug.Print "--"
```

Python

```
point = 80
if point >= 80:
    print('合格')
print('--')
```

同じような処理をVBAとPythonで書くと、Pythonのほうが短い行数で済むケースが少なくありません。今回の例であれば、VBAのコードのうち、変数宣言を行っている

VBA

```
Dim point As Long
```

の行と、If文の最後を表す

```
End If
```

に相当する行が、Pythonでは存在しないために、行数が減っています。

「変数宣言だけの行がない」「複数行で指示をする場合に最後の行がない」という2点は、Pythonの大きな特徴です。変数宣言だけの行がないことは第5章で、複数行で指示するときに最後の行がないことは次の02節で解説します。

if文を含むスクリプトの作成

それでは、Pythonでif文を含むスクリプトをEditorウインドウで入力してみましょう。入力するのは以下のコードです。

Python

```
point = 80
if point >= 80:
    print('合格')
print('--')
```

まず注意すべき点は「if」で始まる行です。

```
if point >= 80:
```

（コロン「:」を忘れない）

Pythonでは「if」の「i」は小文字で入力する必要があります。そして、行の末尾にあるコロン「:」を忘れずに入力してください。続く

```
    print('合格')
```

（インデント）

の行では、「print」の前にインデント（字下げ）が必要です。インデントの文字数は自由ですが、本書では一般に推奨されている半角スペース4文字分としています。

一方、最後の

```
print('−−')
```

については、「print」の前でインデントしません。条件「変数pointが80以上」に、合致しても合致しなくても実行する行だからです。Pythonではインデントの有無が重要な意味を持つので注意が必要です（**図3**）。

図3 IDLEのEditorウインドウを開いたら、図の3点に注意してコードを入力しよう

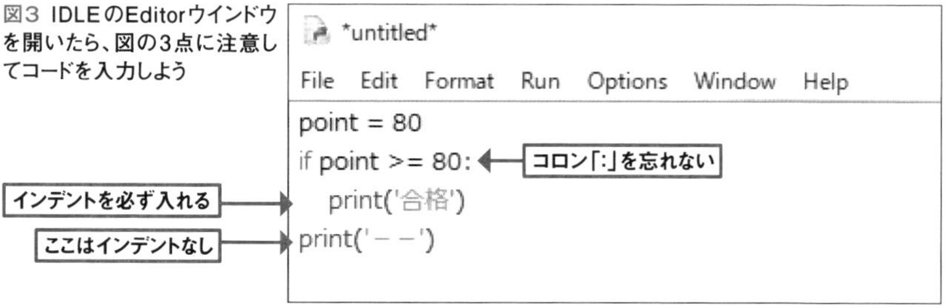

ちなみにIDLEの場合は、

```
if point >= 80:
```

のように、行の末尾に「:」を入力してから「Enter」キーを押すと、次の行は自動的にインデントされます（**図4**）。

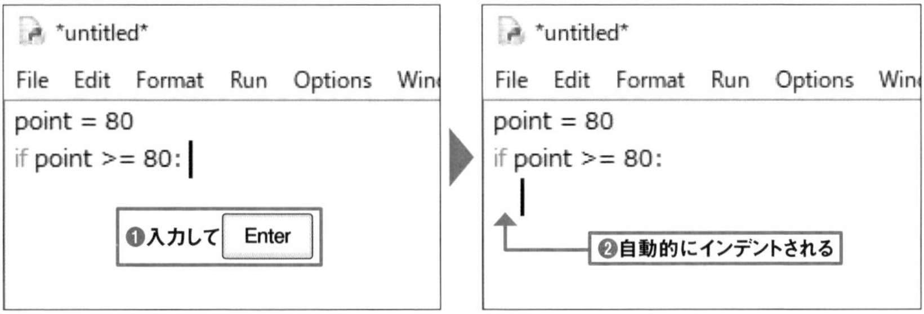

図4 IDLEでは、if文を「:」まで入力して改行すると（❶）、自動的に次行がインデントされる（❷）

スクリプトの保存と実行

コードを入力したら、スクリプトファイルとして保存します。ここでは「chapter_04」というファイル名を付けました。保存できたら、Editorウインドウと Shellウインドウの両方が見られる状態にしてから「F5」キーを押して実行してください（**図5**）。

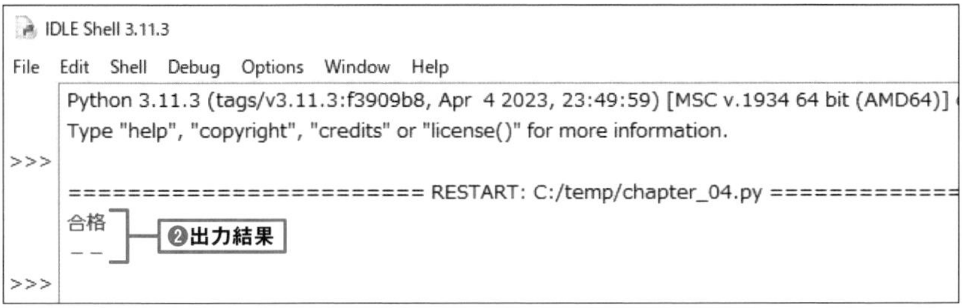

図5 スクリプトファイルを保存した後、「F5」キーを押すなどして実行すると（❶）、Shellウインドウに「合格」と「ーー」が出力される（❷）

第3章でスクリプトを実行したときと同様、Shellウインドウに

```
=============== RESTART: C:/temp/chapter_04.py =================
```

と表示され、これに続いて以下のように実行結果が出力されます。

```
合格
--
```

次に、chapter_04.pyの先頭にある「point = 80」の行を「point = 79」に変更してみましょう。

```
point = 79
if point >= 80:
    print('合格')
print('--')
```

代入する値を「80」から「79」に変更

このスクリプトを上書き保存してから再度実行すると、今度はShellウインドウに以下の実行結果が出力されます。

```
--
```

変数pointに代入する値を「79」に変更したために、

```
if point >= 80:
```

という条件に合致しなくなり、「--」だけが出力されました(**図6**)。

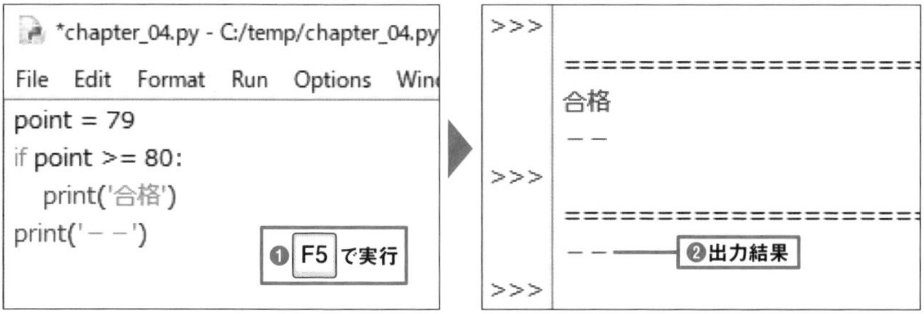

図6 変数pointの値を「79」に変更してスクリプトを実行すると（❶）、「－－」のみが出力される（❷）

このスクリプトを題材にして、Pythonの特徴的なコードの書き方を次節で学習していきましょう。

スクリプトを強制終了する方法

Excel VBAをお使いの皆さんの場合、“止まらないSubプロシージャ”を作ってしまったことがあると思います。ループ処理などが永遠に繰り返され、マクロが止まらなくなるケースです。

これからPythonのスクリプトを作っていくと、やはり止まらないスクリプトを作ってしまうことがあるでしょう。そのような場合に備えて、スクリプトを強制終了する方法も覚えておいてください。

スクリプトを強制終了するには、IDLEのShellウインドウがアクティブな状態で、「Ctrl」キーを押しながら「C」キーを押します。すると、実行中のスクリプトを止めることができます。

特に、第6章の111ページで学習するwhile文を使ったスクリプトは、止まらないコードになりがちです。実行する前には、「Ctrl」キーを押しながら「C」キーを押すことで強制終了できることを思い出しましょう。

02 行末コロンとインデントでブロックを構成

VBAの場合、「If」「End If」などキーワードの組み合わせによって、コードのまとまりを作ります。それに対しPythonは、コロン「:」とインデントで構造を作ります。

行末の「:」がブロックの始まり

Pythonの場合、行の末尾に入力するコロン「:」が、ひとまとまりになったコードの始まりを表します。このルールはif文だけでなく、第6章で学習する「ループ処理」でも同じです。

Memo

複数の文でひとまとまりになった部分を「ブロック」「コードブロック」などと呼びます。

もし行末にコロンがないとどうなるのか、確認しておきましょう。試しに「if point >= 80」の後ろに存在するコロン「:」を削除して、以下のような状態にしてからスクリプトを保存し、実行してください。

Python

```
point = 79
if point >= 80
    print('合格')
print('--')
```

行末のコロン「:」を削除

すると、文法的に必要な「:」が抜けているために、「SyntaxError」(シンタックスエラー、構文エラー)が発生します(**図1**)。

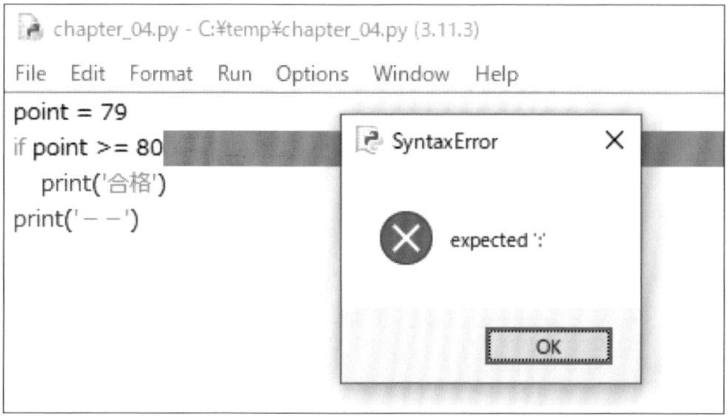

図1　前節で作成した「chapter_04.py」の2行目末尾にあるコロン「:」を削除。上書き保存してから実行すると、このようなエラーが発生する

これはVBAで、Ifで始まる行の末尾に「Then」を入力し忘れて以下のようなコードにしてしまうと、構文エラーの一種であるコンパイルエラーが発生するのと、似た状態です（**図2**）。

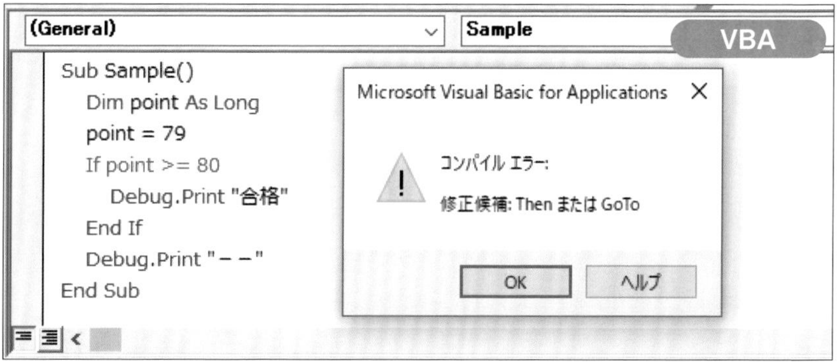

図2 VBAではIfで始まる行の末尾に「Then」を入力し忘れると、コンパイルエラーが発生する

インデント行がブロック内部を表す

Pythonでは行末の「:」がブロックの始まりを表し、ブロック内の行はインデントが必須です。

ブロック内で必要なインデントがない場合にどうなるのか、確認しましょう。条件に合致したときに実行したいコード、「print('合格')」の前に存在しているインデントを削除し、次のような状態にしてスクリプトを保存し、実行してください。

```
point = 79
if point >= 80:  ← 行末のコロン「:」を戻す
print('合格')  ← インデントを削除
print('--')
```

この場合、行の末尾が「:」で終わる次の行に、本来ならあるはずのインデントがないために、SyntaxError（構文エラー）の「expected an indented block」が発生します（**図3**）。

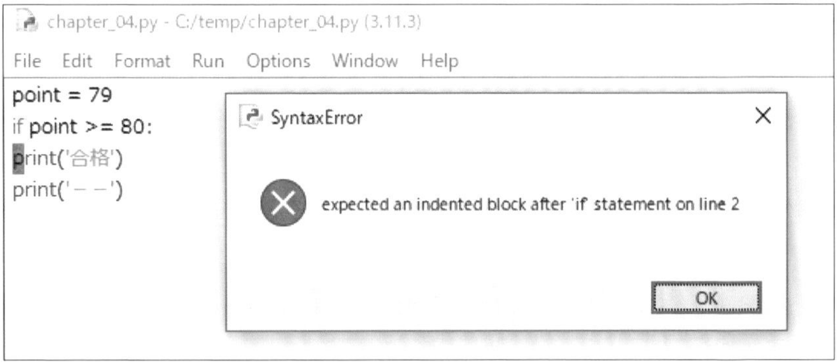

図3 末尾にコロン「:」が付くif文の次行にインデントがないと、このような構文エラーが発生する

インデントが同じならブロック内と見なされる

インデントがあると、ブロックの内部と判断されることも確認しましょう。スクリプトの最後にある「print('--')」という行も、「print('合格')」の行と同じようにインデントした状態にします。変数pointへの代入文を「point = 80」のように編集して実行してください。

```
point = 80  ← 代入する値を「80」に変更
if point >= 80:
    print('合格')  ← インデントを戻す
    print('--')
```

上の行と同様にインデント

するとShellウインドウには、

```
合格
ーー
```

と出力されます（**図4**）。

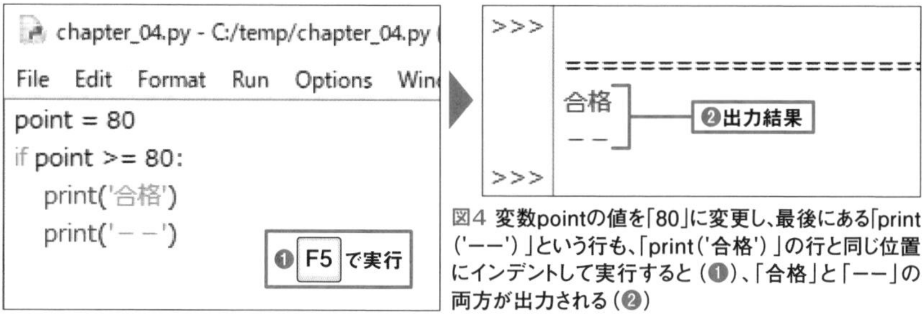

図4 変数pointの値を「80」に変更し、最後にある「print('ーー')」という行も、「print('合格')」の行と同じ位置にインデントして実行すると（❶）、「合格」と「ーー」の両方が出力される（❷）

続いて「point = 80」の行を「point = 79」に変更して

```
point = 79
if point >= 80:
    print('合格')
    print('ーー')
```

（point = 79 の行に）代入する値を「79」に変更

のようにして実行してください。すると今度は、Shellウインドウには何も出力されません（**図5**）。

図5 変数pointの値を「79」に変更して実行すると（❶）、今度は何も出力されない（❷）

「print('合格')」の行と、「print('−−')」の行が同じようにインデントされているので、

```
if point >= 80:
```

の条件に合致したときに実行される、同じブロックだと見なされたためです。

これはVBAで、以下のコードを実行したときと似た挙動です。

```
Dim point As Long
point = 79
If point >= 80 Then
    Debug.Print "合格"
    Debug.Print "−−"
End If
```

VBA

VBAでも適宜インデントを入れて記述するのが一般的ですが、適切にインデントされていなくてもコンパイルエラーは発生しません。VBAの場合、人間が読みやすいように、インデントしているにすぎません。

それに対しPythonでは、インデントが構造に大きく関係しています。インデントで構造を作るのが、Pythonの大きな特徴の1つです。

03 elseとelif

行末のコロン「:」とインデントでブロックを作ることを学習したところで、VBAのElseやElseIfに相当する構文を見ていきましょう。「else節」と「elif節」です。

VBAのElseに相当するのはelse

VBAでは以下のコードを実行すると、イミディエイトウィンドウに「不合格」と出力されます。

VBA
```
Dim point As Long
point = 79
If point >= 80 Then
    Debug.Print "合格"
Else
    Debug.Print "不合格"
End If
```

Elseを使って「条件に合致しない場合」の処理を指定しています。ここでは変数pointが79なので条件に合致せず、Elseの次の行にある「Debug.Print "不合格"」が実行されます。

同様の処理をPythonで書くと、以下のようなコードになります。

Python
```
point = 79
if point >= 80:
    print('合格')
else:
    print('不合格')
```

VBAでは「条件に合致しない場合」をElseで表しますが、Pythonではこれとよく似た「else」で表します。ただしPythonの場合、先頭の「e」は必ず小文字で入力します。

elseの末尾にはコロン「:」を忘れずに

```
else:
```

← コロン「:」を忘れない

と入力し、elseの場合に実行したい行は、必ずインデントして

```
    print('不合格')
```

インデント

のように入力します。これらのルールは、if条件の末尾に「:」を入力し、条件に合致したときに実行する行をインデントするのと同じです。

VBAのElseIfに相当するのがelif

VBAでは以下のコードを実行すると、イミディエイトウィンドウに「保留」と出力されます。

VBA

```
Dim point As Long
point = 79
If point >= 80 Then
    Debug.Print "合格"
ElseIf point >= 60 Then
    Debug.Print "保留"
Else
    Debug.Print "不合格"
End If
```

ElseIfを使って、最初の条件に合致しない場合にさらに別の条件を判定することで、処理を3つに分岐させています。pointが80以上なら「合格」、60以上80未満なら「保留」、それ以外(60未満)なら「不合格」と出力するコードです。

同様の処理をPythonで書くと、以下のようなコードになります。

Python

```
point = 79
if point >= 80:
    print('合格')
elif point >= 60:
    print('保留')
else:
    print('不合格')
```

VBAのElseIfに該当するのは「elif」です。VBAのElseIfと同様にelifの後ろに条件式を書き、ifやelseと同じく行末に「:」を書きます。

```
elif point >= 60:
```

コロン「:」を忘れない

そして次の行にelifの条件に合致する場合に実行したい処理を、インデントして指定します。

```
    print('保留')
```

インデント

最初は戸惑うかもしれませんが、Pythonのelifに慣れてしまうと、VBAのElseIfを使ったコードが長く感じられるのではないかと思います。

elifの条件は複数書ける

VBAのElseIfが条件を複数指定できるのと同様、elifの条件も複数書くことができます。例えば、得点に応じて「A」「B」「C」「D」という4段階の判定を行うなら、次ページのようなコードになります。

```
if point >= 80:
    print('A')
elif point >= 60:
    print('B')
elif point >= 40:
    print('C')
else:
    print('D')
```

行末のコロン「:」とインデントに注意すれば、VBAのIf～ElseIf～Elseを理解している方にとって、Pythonのif～elif～elseも難しくないでしょう。

Memo

VBAのSelect Caseに相当する構文は、Pythonに長い間存在していませんでしたが、2021年10月に正式版がリリースされたバージョン3.10から、match文が使えるようになりました。match文の詳細は、以下の公式ドキュメントを参照してください。
https://docs.python.org/ja/3/tutorial/controlflow.html#match-statements

04 比較演算子は一部VBAと異なる

ifやelifの条件式で使われていた、比較演算子を確認しましょう。比較演算子は、一部がVBAと異なる記号を使います。

「>=」「>」「<=」「<」の4つはVBAと同じですが、VBAの「=」と「<>」を使った比較演算は、Pythonでは別の記号を使用します（**図1**）。

	Pythonの演算子	VBAの演算子
左辺が右辺以上	>=	>=
左辺が右辺より大きい	>	>
左辺が右辺以下	<=	<=
左辺が右辺より小さい	<	<
左辺と右辺が等しい	==	=
左辺と右辺が等しくない	!=	<>

図1 VBAとPythonでは、比較演算子の一部が異なる

Pythonで「等しい」は「==」

左辺と右辺が等しい場合に「真」となる演算子は、VBAの場合「=」（半角イコール1個）ですが、Pythonでは「==」（半角イコール2個）です。

VBAで、変数pointが100の場合のみ「100点、おめでとう！」と表示するコードは以下のようになります。

VBA

```
Dim point As Long
point = 100
If point = 100 Then
    Debug.Print "100点、おめでとう!"
End If
```

このコードでは、変数pointに100以外の値を代入したときは、何も出力されません。

同様の処理を行うPythonのコードは、以下のとおりです。

Python

```
point = 100
if point == 100:
    print('100点、おめでとう!')
```

「point == 100」で、「変数pointが100と等しい」を判定できます。この「等しい」を判定する演算子「==」は、間にスペースを入れずに続けて入力してください。間にスペースを入れてしまい「point =　= 100」と入力したり、「=」の個数を間違って「point = 100」と入力したりした場合、構文エラーになります。

Pythonで「等しくない」は「!=」

左辺と右辺が等しくない場合に「真」となる演算子は、VBAの場合「<>」ですが、Pythonでは「!=」(半角のクエスチョンマークとイコール)です。

VBAの以下のコードでは、「100」ではない数値「99」が変数pointに入力されているため、「100点ではありません。」と出力されます。

VBA

```
Dim point As Long
point = 99
If point <> 100 Then
    Debug.Print "100点ではありません。"
End If
```

同様の処理をPythonで書く場合、以下のようなコードになります。

Python

```
point = 99
if point != 100:
    print('100点ではありません。')
```

この「等しくない」を判定する演算子「!=」も、先ほどの「==」と同様、間にスペースを入れずに入力してください。

比較演算をShellウインドウで確認

比較演算を行うと、PythonでもVBAと同じように「True」(真)または「False」(偽)が返されます。

まずVBAの場合を思い出してください。イミディエイトウィンドウで、

```vba
point = 99
```
VBA

を実行して変数pointに値「99」を代入してから、

```vba
Debug.Print point <> 100
```

を実行した場合です。比較演算子「<>」を使って「100と等しくない」を判定し、結果を出力するコードです。この場合、**図2**のようにTrueが出力されます。

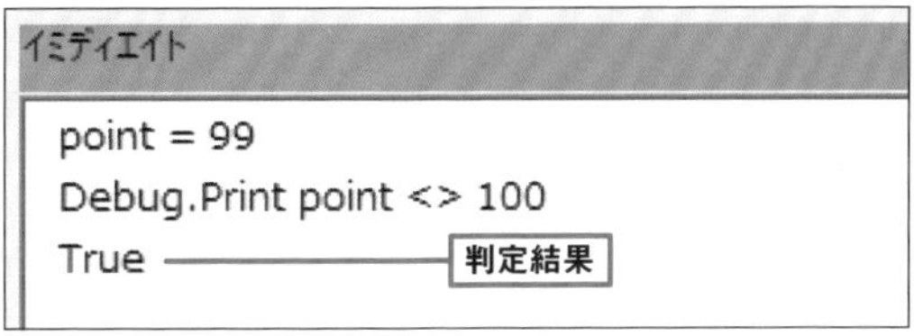

図2 VBEのイミディエイトウィンドウで「point <> 100」という比較演算を行った。ここではTrueが返された

同様の比較演算をPythonのShellウインドウで行うと、以下のとおりです。

```python
point = 99
```
Python

を実行して変数pointに値「99」を代入してから、

```python
print(point != 100)
```

を入力・実行します。比較演算子「!=」を使って、変数pointに代入されている値

が「100と等しくない」を判定し、その結果を出力しています。実際に等しくないのですから、**図3**のように「真」を意味するTrueが出力されます。

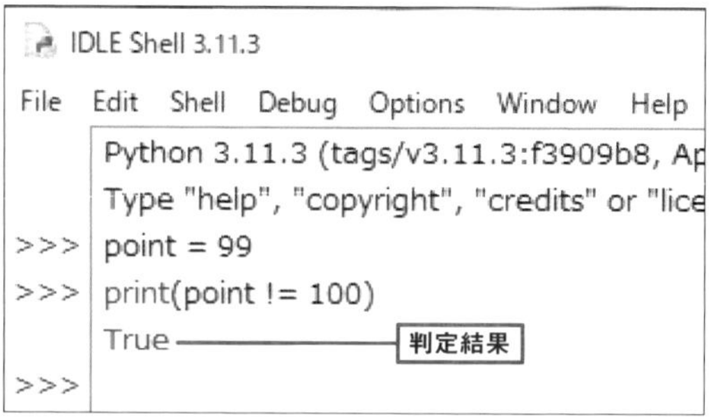

図3 IDLEのShellウインドウを使って、「point != 100」という比較演算を行った例。ここでは変数pointに「99」を代入しておいたので、Trueが返された

続けて、Pythonの比較演算子「==」を使った

```
print(point == 100)
```

というコードを入力・実行しましょう。変数pointの値が「100と等しい」を判定する比較演算です。ここでは変数pointに「99」が代入されていて、「100と等しい」は正しくありませんから、「偽」を意味するFalseが出力されます（**図4**）。

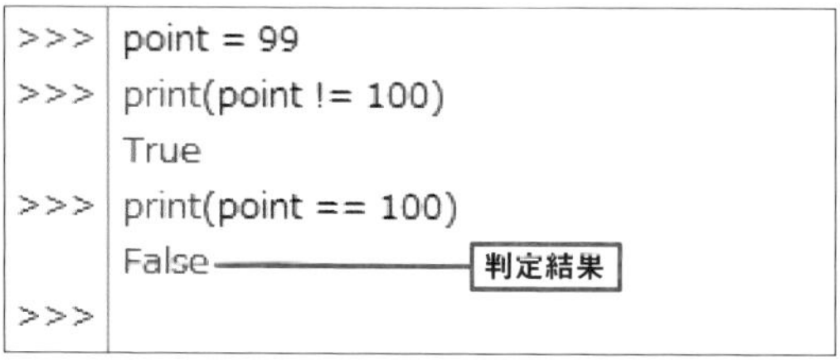

図4 続けて「point == 100」という比較演算を行ってみよう。変数pointには「99」が代入されているので、Falseが返される

05 VBAより便利な論理演算

「かつ」や「または」といった条件を指定する際に、VBAではAnd演算子やOr演算子を使用します。Pythonでもこれらに似た演算子「and」と「or」があります。「含む」を判定する演算子「in」も用意されています。

VBAのAnd演算子

まずはVBAのAnd演算子の挙動を思い出しましょう。イミディエイトウィンドウで、次の3行のコードを実行するケースです。

```
VBA
x = 80
y = 79
Debug.Print x >= 80 And y >= 80
```

変数xとyにそれぞれ「80」と「79」を代入しておいて、「xが80以上かつyが80以上」かを調べるコードです。結果はFalse（偽）と出力されます（**図1**）。

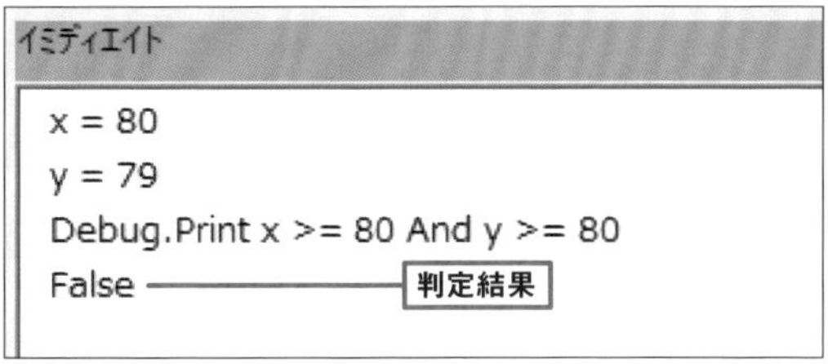

図1 VBEのイミディエイトウィンドウで、変数xに「80」、yに「79」を代入した後、「xが80以上かつyが80以上」かを調べるコードを実行した。結果はFalseと判定される

Pythonのand演算子

このような「かつ」条件の判定を、IDLEのShellウインドウで試してみましょう。まず変数xとyに値を代入します。Pythonでは次のように、1行のコードで複数の変数への代入が可能です。

```
x, y = 80, 79
```

Python

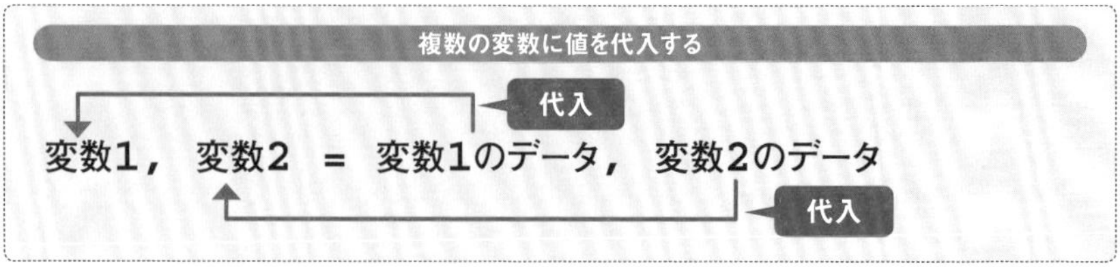

「xが80以上かつyが80以上」かを判定して出力するコードは、以下のとおりです。

```
print(x >= 80 and y >= 80)
```

上記2行のコードを実行すると、**図2**のようにFalseと出力されます。

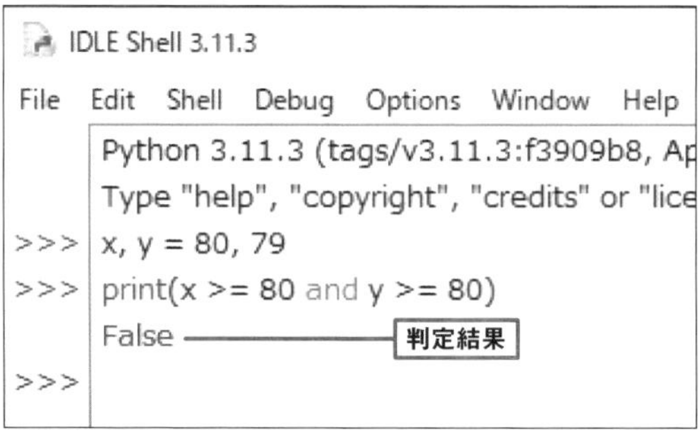

図2 Shellウインドウで、変数xに「80」、yに「79」を代入するコードを実行した後、「xが80以上かつyが80以上」かを判定するコードを実行した。結果はFalseである

Andの先頭の「A」を小文字にした「and」であることに注意すれば、VBAのAnd演算子をご存じの方には難しくないでしょう。

Pythonのor演算子

「または」条件も、VBAのOr演算子がわかっていれば簡単です。「xが80以上またはyが80以上」かを、次のようなコードで判定・出力できます。

```
print(x >= 80 or y >= 80)
```

上記のコードを実行すると、**図3**のようにTrueと出力されます。

```
>>> x, y = 80, 79
>>> print(x >= 80 and y >= 80)
    False
>>> print(x >= 80 or y >= 80)
    True                  判定結果
>>>
```

図3　先ほどに続けて、Shellウインドウで「xが80以上またはyが80以上」かを判定するコードを入力して実行すると、結果のTrueが出力される

含まれるかを判定するin演算子

Pythonには、「含まれる」かどうかを判定する、「in」演算子も用意されています。まず次のコードを実行して、変数numに「99」を代入します。

```
num = 99
```

この状態で、「59, 79, 99」の中に、変数numに代入されているデータが存在するかを判定・出力するには、以下のようなコードを書きます。

```
print(num in (59, 79, 99))
```

実行すると、「99」は含まれているので、**図4**のようにTrueが出力されます。

```
>>> num = 99
>>> print(num in (59, 79, 99))
    True                  判定結果
>>>
```

図4　変数numに「99」を代入し、「numが59, 79, 99に含まれるか」を判定するコード「num in (59, 79, 99)」を実行するとTrueが返される

一方、変数numに「100」を代入し、

```
num = 100
```

先ほどと同じコード

```
print(num in (59, 79, 99))
```

を実行すると、今度は「100」が含まれていませんから、**図5**のようにFalseと判定されます。

```
>>> num = 100
>>> print(num in (59, 79, 99))
    False ———— 判定結果
```

図5 変数numに「100」を代入して先ほどと同じコード「num in (59, 79, 99)」を実行するとFalseが返される

Pythonのnot演算子

VBAでTrueとFalseを反転する演算子はNotです。同様の働きをするPythonの演算子は、先頭の「N」を小文字にした「not」です。例えば、

```
print(not True)
```

を実行すると、Trueの否定であるFalseが出力されます(**図6**)。

```
>>> print(not True)
    False ———— 判定結果
>>>
```

図6 not演算子は、後ろに指定したTrueまたはFalseを反転させる働きをする。「not True」の結果はFalseだ

このnot演算子とin演算子を組み合わせると、「含まれていない」を判定することもできます。

```
num = 100
```

を実行して変数numに「100」が代入されているときに、これが「59, 79, 99」の中に含まれていないことを調べるには、

```
print(num not in (59, 79, 99))
```

というnot演算子とin演算子を組み合わせたコードを実行します。すると、**図7**のようにTrueと判定されます。

```
>>> num = 100
>>> print(num not in (59, 79, 99))
    True
>>>
```

判定結果

図7　変数numに「100」を代入した後、not演算子とin演算子を組み合わせて、変数numの値が「59, 79, 99」の中に「含まれていない」ことを判定した例。結果はTrueになる

numが「100」のとき、in演算子を使った「num in (59, 79, 99)」の結果はFalseです。このFalseをnot演算子で否定した結果、Trueが返されます。こうして「含まれていない」ことを調べられます。

and演算子を使わずに条件を書ける場合がある

VBAの場合、「かつ」条件を指定するときには、And演算子を使わなければなりません。例えば、変数pointに代入されているデータが「60以上かつ80未満」のときに「保留」と出力する場合、以下のようなコードにします。

VBA
```
If 60 <= point And point < 80 Then
    Debug.Print "保留"
End If
```

同様の処理をPythonでは、and演算子を使わず、以下のように書くことが可能です。

Python
```
if 60 <= point < 80:
    print('保留')
```

「変数pointが60以上80未満」という条件が、直感的にわかりやすい書き方です。もちろん、and演算子を使って以下のように書くこともできます。

```
if 60 <= point and point < 80:
    print('保留')
```

06 if文のネスト

if文の中にif文を入れることも、もちろん可能です。一般に「ネスト」「入れ子」などと呼ばれるものです。

ここでは、2科目の合計点と、英語の得点から合否判定を行う例を考えてみましょう。合計点が160点以上なら「合格」、合計点が160点未満120点以上なら基本的には「保留」だが英語の得点が90点以上なら「合格」、そのほかの場合は「不合格」と判定するケースです。

合計点が変数point_totalに、英語の得点がpoint_englishに代入されているときに、上記のような判定を行うには、以下のようなコードを書きます。

Python

```
if point_total >= 160:
    print('合格')
elif point_total >= 120:
    if point_english >= 90:
        print('合格')
    else:
        print('保留')
else:
    print('不合格')
```

コロン「:」を忘れない

インデントの深さをそろえる

ネスト(入れ子)にする場合、インデントの位置(深さ)をそろえることに注意してください。合計点のelifブロック内で行っている、英語の得点に関係する分岐部分では、ifとelseのインデントをそろえています。また、このifとelseのブロック内はさらにインデントして、階層がそろうようにしています。

第5章

変数とデータ型を意識しよう

この章で学ぶこと

- ●Pythonに変数宣言のみを行うコードはなく、代入文が変数宣言を兼ねる
- ●type関数でデータ型を調べられる
- ●数値を扱う型として、int型とfloat型が存在する
- ●文字列はstr型、論理値はbool型で扱う
- ●int関数で整数（int型）に変換でき、str関数で文字列（str型）に変換できる

01 変数宣言のみのコードはない

第5章では、前章で入力·実行したスクリプトでも使われていた変数と、変数に関わりの深い「データ型」の基本について学習しましょう。

VBAとは異なり、Pythonには変数宣言のみを行うコードが存在しません。しかし、宣言せずに変数を使えるというわけではありません。Pythonでは代入文が変数宣言を兼ねています。

初期値の代入文がないと…

第4章では、最初に以下のようなスクリプトを実行しました。

Python

```
point = 80
if point >= 80:
    print('合格')
print('--')
```

このスクリプトを使って、変数について確認しましょう。

1行目にある「point = 80」の前に「#」記号を挿入し、コメントに変更（コメントアウト）したスクリプトを作成しましょう。

```
# point = 80
if point >= 80:
    print('合格')
print('--')
```

「#」記号を先頭に挿入してコメントに変更（この行は無視される）

このように変更できたら、「chapter_05.py」という名前で保存し、実行してください。

すると、**図1**のように「NameError: name 'point' is not defined.」（'point'

という名前が定義されていない)という識別子エラーが発生します。

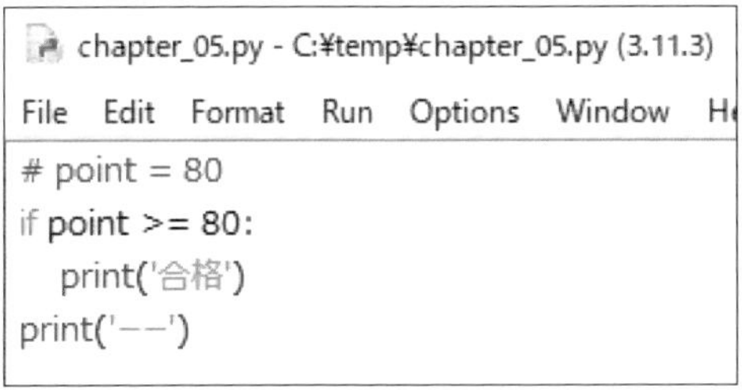

図1　第4章の60ページで作成したスクリプトの1行目にある「point = 80」をコメントアウトして、「chapter_05.py」という名前で保存してから実行すると、下のようなエラーが発生する

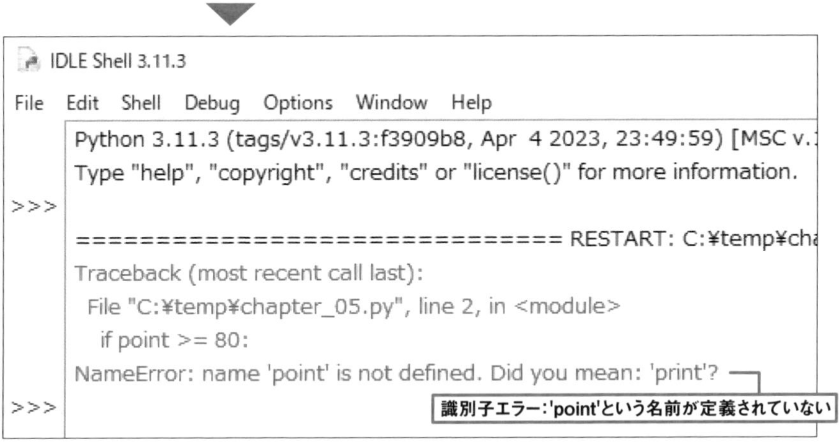

これは、VBAの「Option Explicit」と書かれたモジュールで宣言せずに変数を使おうとすると、「コンパイルエラー: 変数が定義されていません。」というエラーが発生するのと同じ状態です。

Memo

VBAでは、モジュールの冒頭に「Option Explicit」と書くことで、宣言なしで変数を使えない設定にできます。

変数宣言と初期値の代入

なぜ図1のようなエラーになるかというと、Pythonの場合、変数への初期値の代入が、変数宣言も兼ねているためです。この状態は、VBAと逆になっていると考えることもできます。

VBAの場合、変数宣言を行ったときに、初期値の代入も行われています。例えば、

VBA

```
Dim num As Long
```

と宣言した場合、変数numには数値型の初期値「0」の代入も行われています。

```
Dim txt As String
```

と宣言した場合、変数txtには文字列型の初期値である空白文字列の代入が行われます。VBAの場合、変数宣言によって初期値の代入も、併せて行われるわけです。

一方、PythonではVBAとは逆です。

Python

```
point = 80
```

のように初期値の代入を行うと、変数pointを宣言したことにもなります。変数宣言ではなく、初期値の代入だけを明記するルールになっていると考えてみてください。

変数名に使える文字・記号

Pythonで変数名に使える文字・記号はVBAとよく似ています。使える文字は、英数字やアンダーバー「 _ 」などです。

VBAとの大きな違いとして、アンダーバーを変数名の先頭でも使える点が挙げられます。ただし、変数名の先頭にアンダーバーを使う場合は、ルールがありますので、Pythonに十分慣れてからにしましょう。

Pythonでは、第2章の24ページで解説したとおり大文字と小文字が区別されるため、例えばPOINT、point、Pointは、すべては別の変数として扱われます。

02 データによって変数の型は変化する

Pythonでは、

```
point = 80
```

Python

のような初期値の代入文が、変数宣言も兼ねていると前節で説明しました。VBAのような変数宣言がなく、「As Long」「As String」といった型の明示もないため、Pythonにはデータ型がないと思ってしまうかもしれませんが、そのようなことはありません。VBAよりPythonのほうが、データ型を強く意識する必要があります。

VBAのTypeName関数で型を調べる

VBAでVariant型の変数に代入を行うと、代入したデータに応じた型になるのと同じように、Pythonの変数も代入が行われるとデータによって型が変化します。

まず、VBAでVariant型の変数にデータを代入したときに、入力されたデータに応じた型として扱われることを、あらためて確認しておきましょう。イミディエイトウィンドウで、

```
var = 5
```

VBA

を実行して変数varに整数「5」を代入します。続いてデータ型を調べるTypeName関数を使った次のコードを実行してみましょう。

```
Debug.Print TypeName(var)
```

すると、次ページ**図1**のとおり「Integer」（整数型）と出力されます。

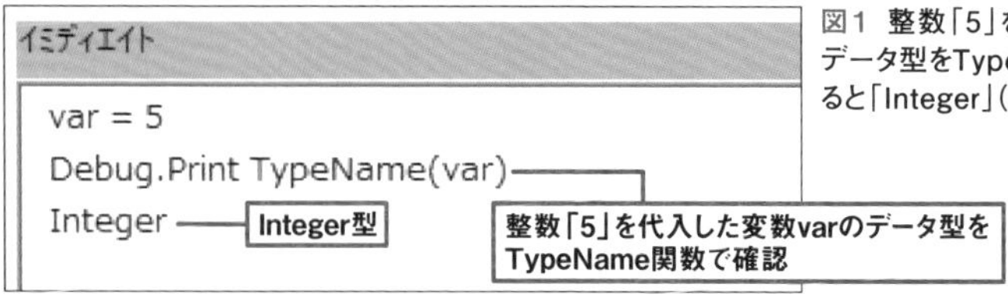

図1　整数「5」を代入した変数varのデータ型をTypeName関数で確認すると「Integer」(整数型)と出力される

同じ変数varに、今度は「32768」を代入してみましょう。

```
var = 32768
```

代入してからTypeName関数で確認すると、**図2**のとおり、「Long」(長整数型)と出力されます。

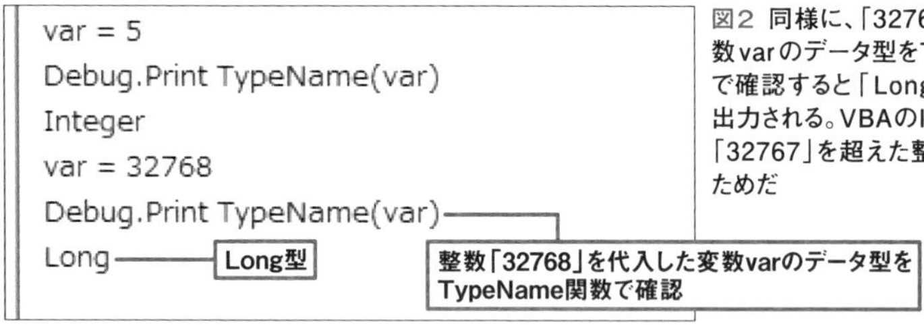

図2　同様に、「32768」を代入した変数varのデータ型をTypeName関数で確認すると「Long」(長整数型)と出力される。VBAのInteger型の上限「32767」を超えた整数が代入されたためだ

続いて、文字列「abc」を代入してからデータ型を確認してみます。

```
var = "abc"
```

すると、もちろん「String」(文字列型)と出力されます(**図3**)。

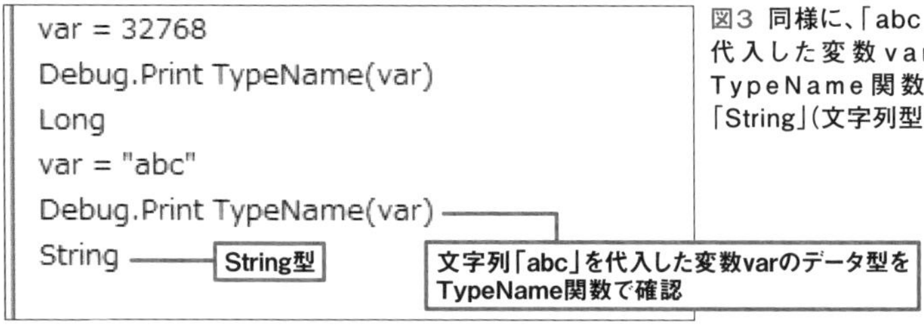

図3　同様に、「abc」という文字列を代入した変数varのデータ型をTypeName関数で確認すると、「String」(文字列型)と出力される

同じ変数varですが、代入されたデータに応じて、型が変化していることがわ

かります。

Pythonのtype関数で型を調べる

Pythonの変数も、VBAのVariant型変数と似た動きをします。

VBAのTypeName関数に似た、Python のtype関数を使って、Shellウインドウでデータ型を確認しましょう。

まず次のコードで変数varに整数「5」を代入します。

Python

```
var = 5
```

続いて、type関数でデータ型を取得し、print関数で出力します。

```
print(type(var))
```

すると、**図4**のとおり「<class 'int'>」と出力されます。

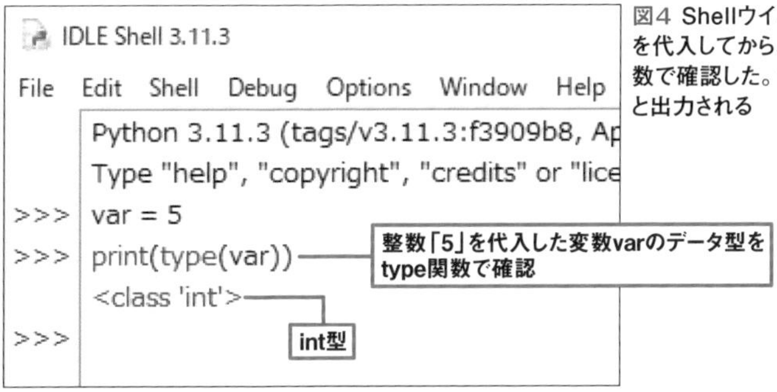

図4 Shellウインドウで、変数varに「5」を代入してから、そのデータ型をtype関数で確認した。すると「<class 'int'>」と出力される

出力結果のうち、シングルクオーテーション「'」でくくられている「int」が、データ型を表しています。この場合、変数varに代入されているデータが、Pythonで整数を扱う型である「int型」であることを表しています。

Pythonのint型は、VBAのInteger型やLong型などに似たデータ型で、整数を扱えます。

VBAの場合、整数を扱う型としてInteger型、Long型、LongLong型などが存在します。それに対してPythonで整数を扱う型は、int型に統一されています。

続いて、同じ変数varに文字列「abc」を代入してから、そのデータ型を確認してみます。

```
var = 'abc'
```

を実行してから、先ほどと同様、type関数でデータ型を確認すると、**図5**のように出力されます。

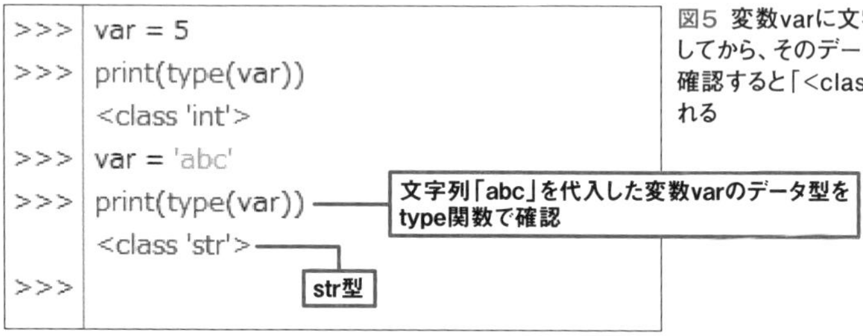

図5 変数varに文字列「abc」を代入してから、そのデータ型をtype関数で確認すると「<class 'str'>」と出力される

今度は変数varに代入されているデータが、「str型」であると出力されます。Pythonのstr型は、VBAのString型に似た、文字列を扱うデータ型です。

Memo

str型の詳細は、第7章で解説します。

03 基本的なデータ型

Pythonには、前節で確認したint型やstr型のほかにも、重要なデータ型があります。基本的なものを押さえておきましょう。

bool型

VBAにはBoolean型というデータ型があります。TrueとFalseといった論理値を扱う型です。これに似た型が、Pythonの「bool型」です。第4章で、比較演算子や論理演算子を学習しました。比較演算や論理演算の結果は、bool型である論理値です。

> **Memo** TrueとFalseの2つの値をまとめた呼び方は日本語の場合、「ブール値」「真偽値」「真理値」などいくつかありますが、本書では「論理値」としています。

Shellウィンドウで、変数varにTrueを代入して確認してみましょう。

Python

```
var = True
```

を実行して変数varにTrueを代入し、type関数でデータ型を確認します。

```
print(type(var))
```

を実行すると、次ページ**図1**のように「<class 'bool'>」と出力され、bool型であることがわかります。

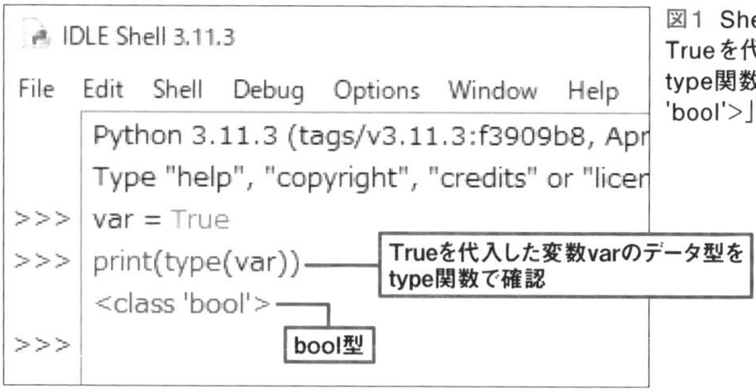

図1 Shellウインドウで。変数varにTrueを代入してから、そのデータ型をtype関数で確認した。すると「<class 'bool'>」と出力され、bool型とわかる

float型

VBAの数値型には、Single型（単精度浮動小数点数型）、Double型（倍精度浮動小数点数型）といった小数を扱えるデータ型があります。Pythonの「float型」がこれらに該当します。小数点を含む数値はもちろんfloat型ですが、第2章で確認した演算子「/」を使った割り算は、結果が整数であってもfloat型として扱われます。

```
print(type(5 / 1))
```

のようにtype関数の引数に割り算の式を指定すると、**図2**のとおり、float型であることを確認できます。

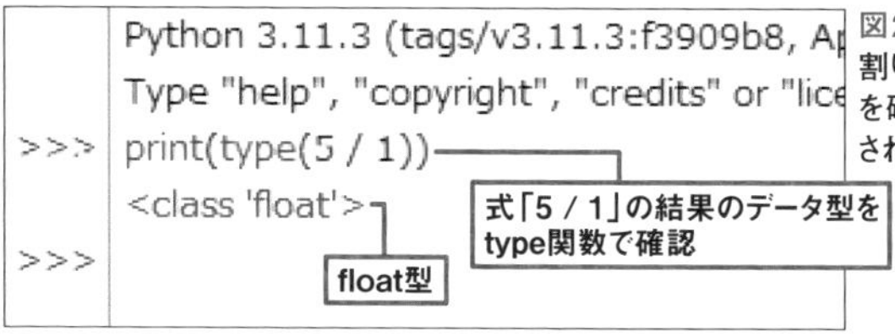

図2 type関数の引数に「5 / 1」という割り算の式を指定して、結果のデータ型を確認すると、「<class 'float'>」と出力され、float型になっているとわかる

データ型を意識しよう

type関数を使って、いくつかのデータ型を調べることを繰り返してきました。今後Pythonのコードを読み書きする際、まずは以下のような基本的なデータ型を意識してください。

数値	int型（整数型）
	float型（浮動小数点数型）
文字列	str型（文字列型）
論理値（True/False）	bool型（ブール型）

日付・時間を扱うデータ型

VBAで業務を自動化するようなときに、日付や時間のデータを必要とするケースがあります。このような場合、VBAではDate型を利用します。

PythonでVBAのDate型に相当するのは、date型、time型などですが、これらのデータ型を利用するには、標準ライブラリに含まれるdatetimeモジュールを使う必要があります。

Memo

datetimeモジュールを使った具体例は、第9章の168ページで学習します。

Pythonに定数はない

VBAの場合、キーワード「Const」を使って定数（後から値を変更できない変数）を定義できます。一方Pythonには、そのような定数はありません。

ただし、変数には小文字のみを使用し、すべて大文字の変数を定数と見なす、という慣習がありますので、特別の理由がなければこの慣習に従いましょう。本書では、第11章の236ページで大文字の変数を使った例を紹介します。

04 データ型の変換

VBAの場合、データの型変換が頻繁に、かつ自動的に行われます。それに対しPythonでは、関数を使ったデータ型の変換が多くの場合必要です。

VBAでは暗黙の型変換がよく行われる

VBAの場合、以下のような演算ができてしまいます。

```
Debug.Print 5 + "2"
```
VBA

数値の「5」と数字(文字列)の「2」の足し算ですが、これをイミディエイトウィンドウで実行すると、文字列の「2」が自動的に数値に変換され、足し算の結果「7」が出力されます(**図1**)。

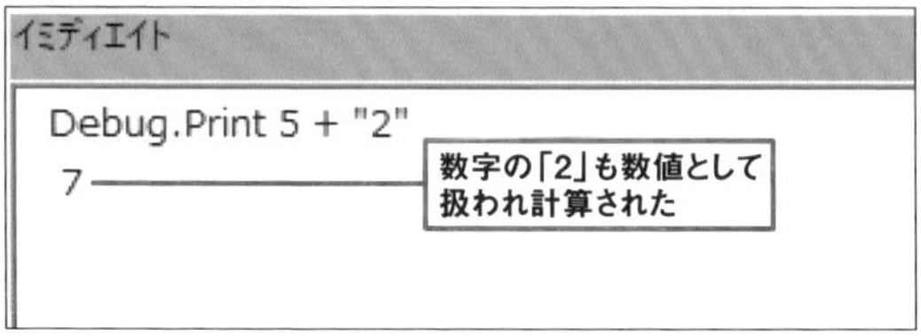

図1　VBEのイミディエイトウィンドウで、「5 + "2"」という式の結果を確認すると、足し算の結果として「7」が出力される

こういったデータ型を自動的に変換してくれる処理を、「暗黙の型変換」といいます。

Pythonでは数値と数字の計算ができない

Pythonの場合、このような演算を行うとエラーが発生します。Shellウインドウで、

```
print(5 + '2')
```
Python

を実行すると、**図2**のように「TypeError: unsupported operand type(s) for +: 'int' and 'str'」という型エラーが発生します。

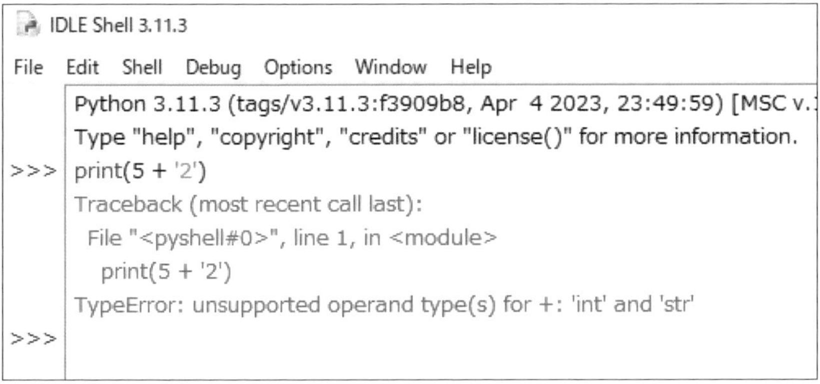

図2 IDLEのShellウインドウで、「5 + '2'」という式を計算しようとすると、図のようなエラーが発生する。解決するには、型の変換が必要だ

int型とstr型では、演算子「+」を使った演算はできない（unsupported）といった内容が表示されています。型の異なるデータ同士でこういった演算を行うには、型の変換が必要です。

int型への変換

変数varに文字列の「2」が代入されているときを考えてみます。

```
var = '2'
```

このとき、

```
print(5 + var)
```

のようなコードで「5 + var」を計算すると、「5 + '2'」のときと同様に、TypeErrorとなります（次ページ**図3**）。

```
>>> var = '2'
>>> print(5 + var)
    Traceback (most recent call last):
      File "<pyshell#1>", line 1, in <module>
        print(5 + var)
    TypeError: unsupported operand type(s) for +: 'int' and 'str'
>>>
```

図3 変数varに数字(文字列)の「2」が代入されていると、「5 + var」という計算もTypeErrorになる

このような場合に、

```
print(5 + int(var))
```

というコードにして実行すれば、正しく処理されて足し算の結果「7」が出力されます(**図4**)。

```
>>> var = '2'
>>> print(5 + var)
    Traceback (most recent call last):
      File "<pyshell#1>", line 1, in <module>
        print(5 + var)
    TypeError: unsupported operand type(s) for +: 'int' and 'str'
>>> print(5 + int(var))
    7
>>>
```

変数varを整数に変換

エラーにならずに計算できる

図4 変数varに数字の「2」が代入されていても、「5 + int(var)」として計算すれば、足し算の結果「7」が出力される

ここで使っている「int関数」が、データをint型に変換する関数です。Pythonでは、このようなデータ型を変換する処理が多くの場合必要になります。

Memo

いずれも数値を扱う型であるint型とfloat型の場合には、Pythonでも暗黙の型変換が行われるため、型を変換するための関数を使う必要はありません。

str型への変換

同様に、数値と文字列の連結を行う場合にも、数値を文字列に変換する必要があります。

```
var = 10
```

で変数varに数値を代入しておいてから、

```
print(var + '歳、おめでとう!')
```

のように文字列と連結しようとすると、やはりTypeErrorとなります（**図5**）。

```
>>> var = 10
>>> print(var + '歳、おめでとう！')
    Traceback (most recent call last):
      File "<pyshell#1>", line 1, in <module>
        print(var + '歳、おめでとう！')
    TypeError: unsupported operand type(s) for +: 'int' and 'str'
>>>
```

図5 変数varに数値の「10」が代入されているとき、「var ＋ '歳、おめでとう！'」のような式で文字列と連結しようとすると、TypeErrorになる

この場合も、str型に変換する「str関数」を使って

```
print(str(var) + '歳、おめでとう!')
```

のようなコードにすれば、次ページ**図6**のように出力されます。

```
>>> var = 10
>>> print(var + '歳、おめでとう！')
    Traceback (most recent call last):
      File "<pyshell#1>", line 1, in <module>
        print(var + '歳、おめでとう！')
    TypeError: unsupported operand type(s) for +: 'int' and 'str'
>>> print(str(var) + '歳、おめでとう！')
    10歳、おめでとう！
>>>
```

str関数で変数varを文字列に変換してから連結

エラーにならずに連結できる

図6　変数varをstr関数で変換してから連結する式にすれば、エラーにはならずに「10歳、おめでとう!」と出力される

代入時にSetのようなキーワードは不要

VBAの場合、VBAから操作する対象であるオブジェクトに既定メンバーが存在するために、オブジェクト変数に代入を行うときにはSetキーワードが必須です。Pythonの場合は、代入の際にこのようなキーワードが必要になることはありません。

ただし、先頭の「s」が小文字の「set」という関数は存在します。set（集合、セット）は、本書では扱っていませんが、Pythonに用意されているデータ構造の1つです。

第6章

ループ処理を理解しよう

この章で学ぶこと

- Pythonのfor文はVBAのFor Each～Nextに相当する
- VBAのFor～Nextに相当するfor文を書く場合、range関数を組み合わせる
- range 関数の第2引数を指定した場合、その直前までの整数が生成される
- VBAのDo While～Loopに相当するのがwhile文である
- 「i = i + 1」は複合代入演算子を使って「i += 1」と書ける

01 VBAのFor～NextとPythonのfor文+range関数

第6章では、処理を繰り返したいときに使う制御文の1つ「ループ処理」について学びましょう。Pythonには、VBAのFor Each～Nextに似た「for文」と、Do While～Loopに似た「while文」があります。VBAのFor～Nextに似た処理を行うためには、for文とrange関数を組み合わせます。

For～Nextよりもfor文はシンプル

VBAでは以下のようなコードを含むSubプロシージャを実行すると、イミディエイトウィンドウに1から5の整数が出力されます（**図1**）。

VBA

```
Dim i As Long
For i = 1 To 5
    Debug.Print i
Next
```

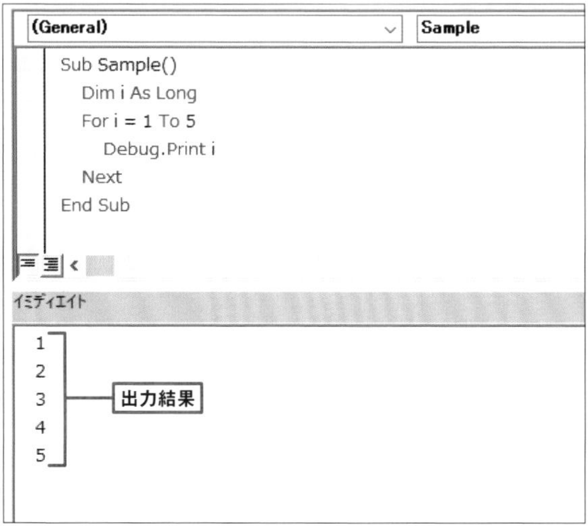

図1 VBEのコードウインドウで上記のコードを含むSubプロシージャを作成して実行すると、イミディエイトウィンドウに1から5の整数が出力される

同様の処理をPythonで書くと、以下のように2行で済みます。

Python

```
for i in range(1, 6):
    print(i)
```

上記コードを「chapter_06.py」という名前で保存して実行すると、Shellウインドウに1から5の整数が出力されます（**図2**）。

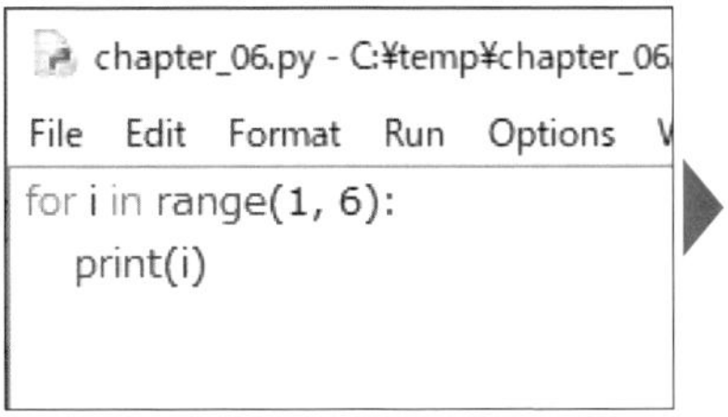

図2 上記のコードをスクリプトファイルにして実行すると、Shellウインドウに1から5の整数が出力される

for文がシンプルになる理由

Pythonのコードが2行で済んでいるのは、VBAの場合に1行目に存在する変数宣言のみを行うコード

VBA

```
Dim i As Long
```

と、For～Nextの最後に相当する

```
Next
```

の行がないためです。Pythonのコード

```
for i in range(1, 6):
```

Python

には、変数iに代入を繰り返す指示が含まれています。第5章で学習したように、Pythonでは代入するコードに変数宣言が含まれているため、for文の場合も変数宣言のみの行が存在していません。

for文の構造はif文と似ている

for文の構造を詳しく見ていきましょう。for文の始まりの行

```
for i in range(1, 6):
```

の行末には、第4章で学習したif文と同様に、コロン「:」が存在します。また、繰り返し実行する行は、

```
        print(i)
```

のようにインデントされています。これは、第4章で学習したif～elif～else文で、条件に合致したときに実行する行をインデントするのと同じです。

for文＋range関数の繰り返し条件

VBAの場合、

```
For i = 1 To 5
```

VBA

の行に、変数iがいくつからいくつになるまで処理を繰り返すのか、という条件が書かれています。上記の場合、変数iが1から5になるまで、処理が繰り返されます。

同じようにPythonでは、

Python
```
for i in range(1, 6):
```

の行に、繰り返す条件が指定されています。

PythonにFor～Next的な構文はない

Pythonのfor文は、実はVBAのFor Each～Nextと似た構文で、For～Nextに相当する構文は、Pythonに存在しません。for文とrange関数を組み合わせることで、VBAのFor～Nextのような数値による条件指定が可能になります。Pythonのfor系の構文とVBAの構文をまとめると、以下の表のとおりです。

Pythonの構文	VBAの構文
for文	For Each～Next
for文＋range関数	For～Next

次節で、range関数について確認していきましょう。for文本来の、For Each～Nextのようなループ処理は、第7章、第8章で解説します。

Memo

Pythonのrange関数は、もちろん、Excel VBAのRangeプロパティやRangeオブジェクトとは、まったく関係ありません。

02 range関数の引数

前節で見たとおり、Pythonのfor文で数値による条件指定をするには、range関数を利用します。range関数に指定できる引数について学習しましょう。

引数を2つ指定した場合

range関数に引数を2つ指定した場合、第1引数に指定された初期値から、第2引数に指定された最終値未満の、連続した整数が返されます。第1引数に指定された数値は含まれますが、第2引数に指定された数値は含まれないことに注意してください（**図1**）。

図1 range関数の使用例。第2引数の値は含まず、その直前までの整数を返す点に注意

例えば5から10の整数を出力したい場合は、以下のようなコードです。

Python
```
for i in range(5, 11):
    print(i)
```

VBAのFor～Nextに慣れていると、

```
for i in range(5, 10):
```

のように指定したくなりますが、「range(5, 10)」では、「5から9まで」という条件になってしまいます。Pythonで引数などに数値を2つ指定したときには、2つめの数値は含まずにその直前まで、といった意味になるケースが少なくありません。

この点を意識しながらコードを書くことを繰り返して慣れましょう。

増分値の指定

変数iを、いくつずつ増やすか（増分値）を指定することもできます。

VBAの場合、ループの条件を指定する「For i = 1 To 5」の後ろに「Step 2」と書くことで「2ずつ増やす」といった増分値を指定できます。例えば

```vba
Dim i As Long
For i = 1 To 5 Step 2
    Debug.Print i
Next
```

VBA

を実行すると、1、3、5が出力されます（**図2**）。

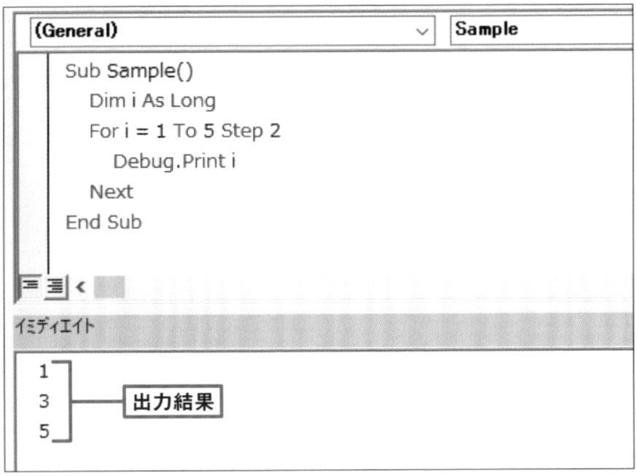

図2　上記のコードを含むSubプロシージャを実行すると、イミディエイトウィンドウに1、3、5が出力される

同様の出力をPythonで行う場合、range関数の第3引数も使って、以下のように指定します。

```python
for i in range(1, 6, 2):
    print(i)
```

Python

これを実行すると、1、3、5が出力されます(**図3**)。

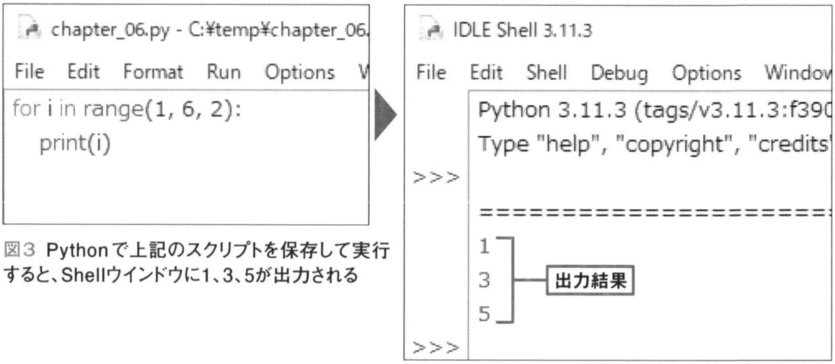

図3 Pythonで上記のスクリプトを保存して実行すると、Shellウインドウに1、3、5が出力される

第3引数には、VBAのStepに指定するのと同じように、いくつずつ増やしたいかを指定します。第2引数に指定された値の直前までの整数が返されるのは、第3引数を指定しない場合と同じです(**図4**)。

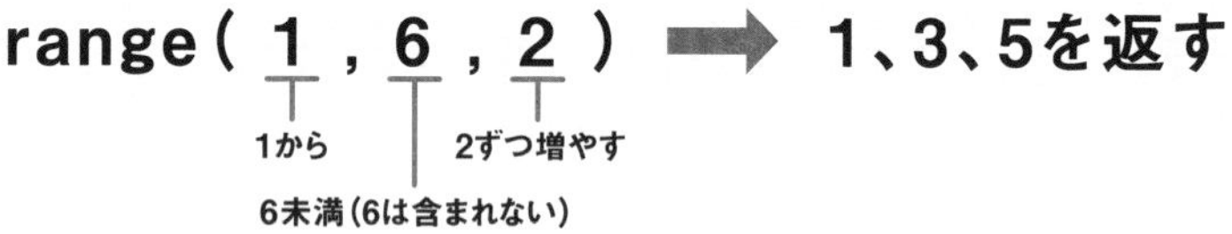

図4 range関数では、第3引数に増分値を指定できる。この例では、1から6未満の整数を2ずつ増やした1、3、5が返される

マイナスの増分値

増分値にはマイナスの値も指定できます。

VBAの場合、「Step -1」のようにキーワードStepの後ろにマイナスの値を指定します。具体的には、次のようなコードです。

```
Dim i As Long                                   VBA
For i = 3 To 1 Step -1
    Debug.Print i
Next
```

これを実行すると、3、2、1と出力されます（**図5**）。

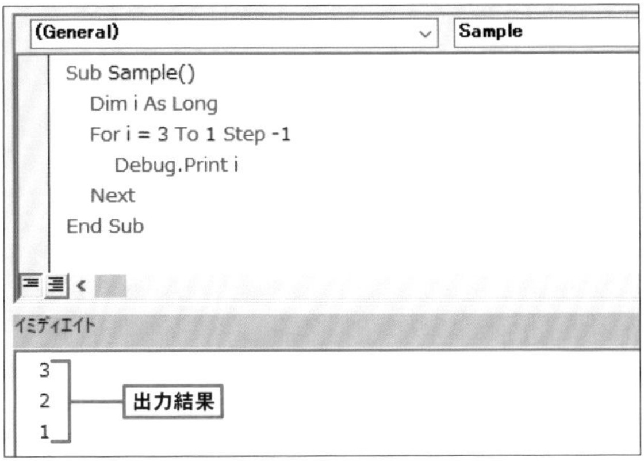

図5　前出のコードを含むSubプロシージャを実行すると、イミディエイトウィンドウに3、2、1と出力される。開始値3から終了値1まで、1ずつ減っていく

同様の出力をPythonで行う場合、以下のように指定します。

Python

```
for i in range(3, 0, -1):
    print(i)
```

range関数の第3引数にマイナスの増分値「−1」を指定

range関数の第3引数に、増分値を負の数で指定するわけです。「−1」と指定すれば、1ずつ減る整数を生成できます。最終値が0なので、その直前の1までが出力される点に注目してください（**図6**）。

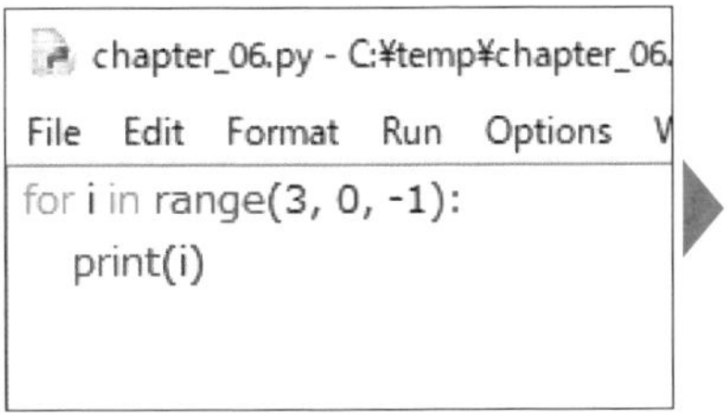

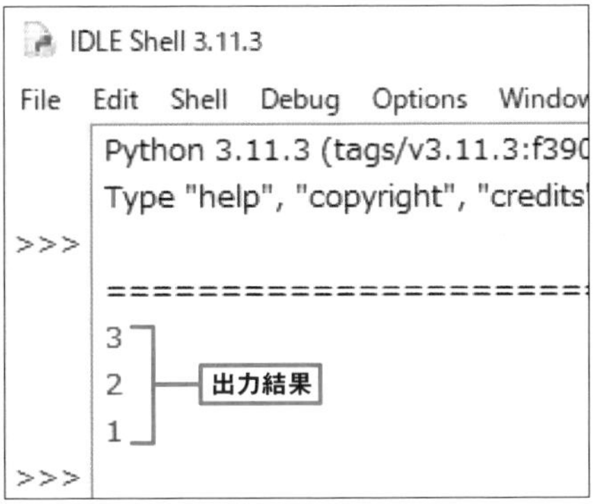

図6　Pythonで上記のスクリプトを保存して実行すると、Shellウインドウに3、2、1と出力される

range関数の第2引数に指定された最終値未満までループ処理される、という

点に注意すれば、Excel VBAのFor～Nextでマイナスの増分値を指定するコードを理解している方にとって、難しくはないでしょう。

引数を1つだけ指定した場合

Pythonのrange関数は、引数を1つだけ指定して使うこともできます。例えば、次のようなコードです。

```
for i in range(5):
    print(i)
```

このコードを実行した場合、0から4までの5個の整数、0、1、2、3、4が出力されます（**図7**）。

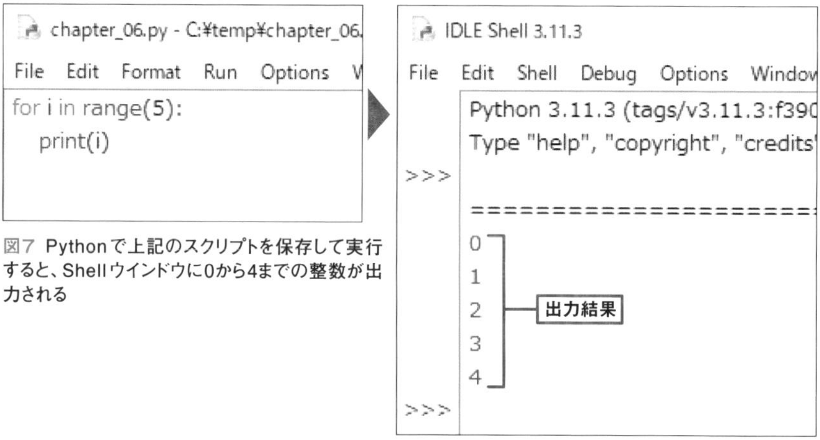

図7 Pythonで上記のスクリプトを保存して実行すると、Shellウインドウに0から4までの整数が出力される

つまり上記のコードは、

```
for i in range(0, 5):
    print(i)
```

と同じ結果になります。「range(5)」は、「range(0, 5)」と同じで、range関数の第1引数が省略された状態だということです。

03 VBAのDo While～LoopとPythonのwhile文

VBAのFor～Nextは、Do While～Loopなどで書くこともできます。1から5の整数をイミディエイトウィンドウに出力するコードを、あえてDo While～Loopを使って書くと、以下のようになります。

VBA
```
Dim i As Long
i = 1
Do While i < 6
    Debug.Print i
    i = i + 1
Loop
```

「While」は「～の間」という意味の英単語で、「While i ＜ 6」で「iが6より小さい間」という条件になります。その間、Do～Loopの間の処理が繰り返し実行されます。

Pythonのwhile文

Pythonで、VBAのDo While～Loopに相当するのが、while文です。

Python
```
i = 1
while i < 6:
    print(i)
    i = i + 1
```

のようなコードで、1から5の整数を出力できます（次ページ**図1**）。

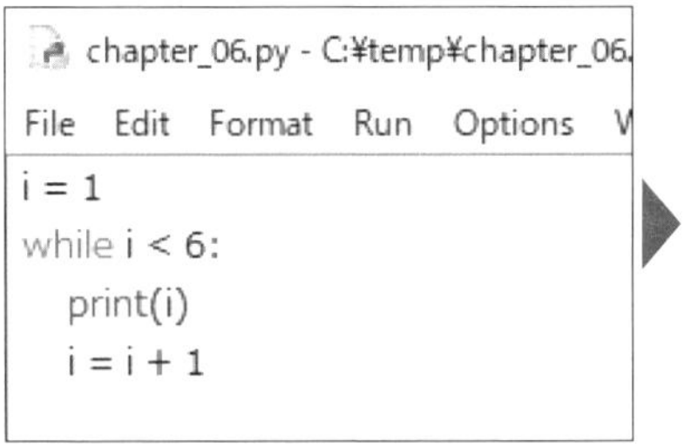

図1 Pythonでwhile文を使い、1から5までの整数を出力した。変数iが6未満の間だけ、処理を繰り返す

これまで学習してきた構文と同様、VBAの変数宣言「Dim i As Long」と「Loop」に相当する行がないため、VBAより行数が少なくなっています。

```
while i < 6:
```

が「変数iが6より小さい間」という条件を表し、インデントして書かれている以下のコードが繰り返し実行されます。

```
    print(i)
    i = i + 1
```

VBAのDo While～Loopをご存じの方にとっては、Pythonのwhile文も難しくないでしょう。条件を表す行の末尾にコロンを付けることと、繰り返し実行するコードの部分をインデントすることに注意してください。

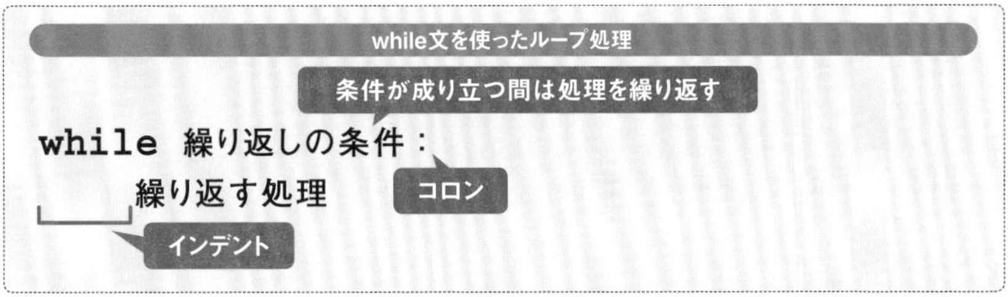

for文とwhile文の使い分け

ここでは学習のために、while文の条件指定を数値で行いました。VBAでは、ループの条件を数値で指定できない場合にDo While～Loopなどを使い、数値で指定できる場合にはFor～Nextを使うほうが、可読性は高くなります。Pythonの場合も同様です。数値による条件指定が可能であればfor文+range関数、数値で条件指定できない場合にwhile文を使いましょう。

複合代入演算子

Pythonを使い慣れた方は、変数iに1を加算する

```
i = i + 1
```

の行を、

```
i += 1
```

と書くこともよくあります。意味は同じです。ですから先ほどのスクリプトは、以下のように書くこともできます。

```
i = 1
while i < 6:
    print(i)
    i += 1
```

「i += 1」といった書き方にも、少しずつ慣れていきましょう。「+=」のような演算子を、「複合代入演算子」といいます。

04 for文のネスト

Pythonでfor文をネストすることも、もちろん可能です。ネストしたループのサンプルとしてよく見かける、九九の計算で確認しましょう。

1から9の整数と、1から9の整数を掛け算する例です。以下のようなコードで、掛け算九九の式と結果を出力できます。

```
for x in range(1, 10):
    for y in range(1, 10):
        print(x, '×', y, '=', x * y)
```

コロン「:」を忘れない

インデント

Python

変数yを使った内側のfor文をインデントしている点、print関数を使った出力はさらにインデントしている点、そして行末の「:」を意識してください。

print関数の引数には変数、文字列、式を指定しているだけですが、第3章の54ページで解説した仕様により、間に半角スペースが入って見やすく出力されいることにも注目しましょう(**図1**)。

```
>>> for x in range(1, 10):
...     for y in range(1, 10):
...         print(x, '×', y, '=', x * y)
...
...
1 × 1 = 1
1 × 2 = 2
1 × 3 = 3
1 × 4 = 4
1 × 5 = 5
1 × 6 = 6
1 × 7 = 7
```

```
9 × 4 = 36
9 × 5 = 45
9 × 6 = 54
9 × 7 = 63
9 × 8 = 72
9 × 9 = 81
>>>
```

図1 Shellウインドウで上記のコードを実行すると、「1 × 1 = 1」から「9 × 9 = 81」までの掛け算の式と計算結果が出力される

第7章

文字列を操作しよう

この章で学ぶこと

- Pythonでは、角カッコ内にインデックス番号（マイナスも可）を指定して、任意の1文字を取得できる
- コロン「:」を使ってインデックス番号の範囲を指定することで、文字列の一部を取得できる
- for文を使って簡単に1文字ずつ取得できる
- 処理内容の理解しやすい便利なメソッドが用意されている
- Pythonではすべてのデータがオブジェクトである

01 文字列から1文字取得する

Pythonで文字列を扱うデータ型はstr型で、VBAのString型と似ていることを、第5章の92ページでお伝えしました。この章では、VBAの文字列操作と比較しながら、Pythonのstr型について学習していきましょう。

プログラミングでは、何らかの文字列からn文字目を取得するといったコードが必要になることがあります。Pythonでは関数を使わずに、このような処理が可能です。

VBAで文字列から1文字取得する

まずはVBAの場合を思い出してください。VBAで何らかの文字列から任意の位置の1文字を取得するには、Mid関数を利用します。イミディエイトウィンドウで、簡単なコードを実行して確認しましょう。

変数txtに文字列「abcde」が代入されているときに、1文字目を取得するには、Mid関数の引数を「Mid(txt, 1, 1)」と指定します。

```
VBA
txt = "abcde"
Debug.Print Mid(txt, 1, 1)
```

この2行を順番に実行すると、1文字目の「a」が出力されます（**図1**）。

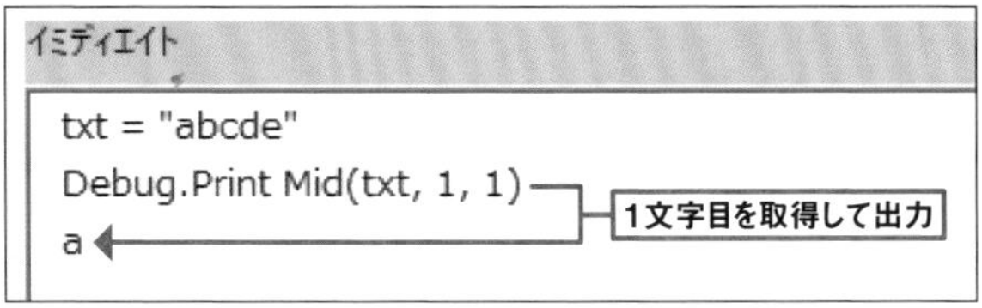

図1　上記のコードをVBEのイミディエイトウィンドウで実行すると、「a」が取得・出力される

同じように、「abcde」から5文字目を取得する場合は、「Mid(txt, 5, 1)」のように、Mid関数の第2引数に「5」を指定します（**図2**）。

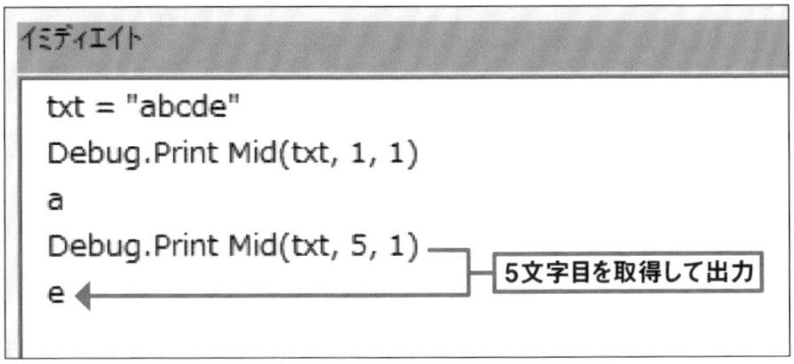

図2 Mid関数の第2引数に「5」と指定すると、5文字目にある「e」が取得できる

Pythonで文字列から1文字取得する

Pythonで同様の処理を行う場合、関数は不要です。変数に文字列が代入されている場合、変数名の後ろに角カッコを付けて、「0」から始まるインデックス番号を指定するだけで、指定した文字を取得できます。

IDLEのShellウインドウで確認しましょう。まず、

Python

```
txt = 'abcde'
```

を実行して変数txtに文字列「abcde」を代入します。次に、

```
print(txt[0])
```

を実行すると、1文字目の「a」が出力されます（**図3**）。

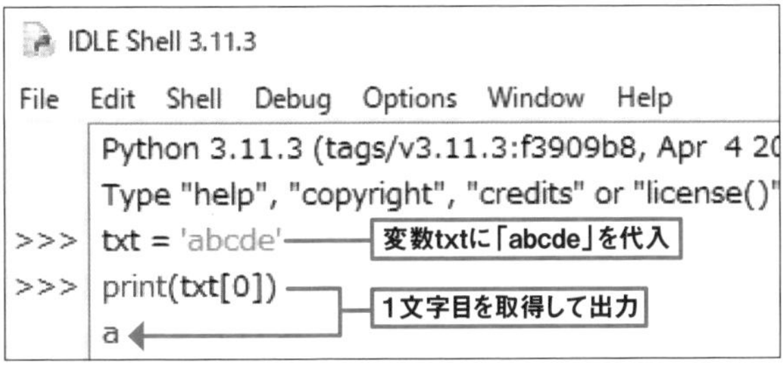

図3 Pythonでは「txt[0]」のように変数名の後ろに角カッコを付けてインデックス番号を指定するだけで、指定した文字を取得できる。ここではprint関数により「a」と出力された

「txt[0]」というコードで、インデックス番号が「0」の文字、すなわち1文字目が取得でき、取得した1文字目をprint関数で出力しています。

同様に、インデックス番号に「1」を指定した

```
print(txt[1])
```

を実行すれば2文字目の「b」が出力されます(**図4**)。

```
>>> txt = 'abcde'
>>> print(txt[0])
a
>>> print(txt[1])
b
```

2文字目を取得して出力

図4 角カッコの中のインデックス番号に「1」を指定すれば、2文字目の「b」が取得できる

インデックス番号に「4」を指定して

```
print(txt[4])
```

と指定すれば5文字目の「e」が出力されます(**図5**)。

```
>>> txt = 'abcde'
>>> print(txt[0])
a
>>> print(txt[1])
b
>>> print(txt[4])
e
```

5文字目を取得して出力

図5 角カッコの中のインデックス番号に「4」を指定すれば、5文字目にある「e」が取得できる

インデックス番号が「0」から始まる点に注意が必要ですが、VBAのように関数を使わなくても取得できるのは、便利に感じられることでしょう。

文字列から1文字取得する

文字列[インデックス番号]

インデックス番号と「n文字目」という数字が1つずれてわかりにくいと感じる場合、インデックス番号は「文字と文字の間を示す番号」で、その番号で指定され

た右側の文字を取得できると考えてみてください（**図6**）。

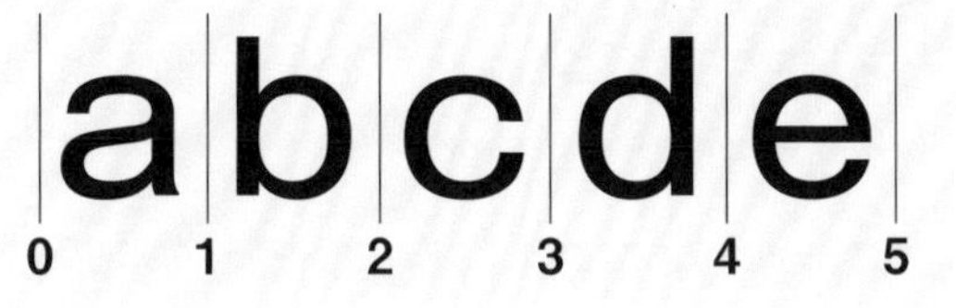

図6　インデックス番号は、「文字と文字の間を示す番号」だと考えるとわかりやすい。指定した番号の右側の文字を取得できる

なお、文字数を超えるインデックス番号を指定したときには、「IndexError: string index out of range」エラーが発生します（**図7**）。

```
>>> print(txt[5])
    Traceback (most recent call last):
      File "<pyshell#4>", line 1, in <module>
        print(txt[5])
    IndexError: string index out of range
```

図7　角カッコの中に「5」を指定すると、6文字目を出力する指定になるが、ここで変数txtは「abcde」という5文字なので、「インデックスの範囲を超えている」というエラーになる

なお、変数を使わない、

```
print('abcde'[0])
```

といったコードでも1文字目の「a」が出力され、

```
print('abcde'[4])
```

で5文字目の「e」が出力されます（**図8**）。

```
>>> print('abcde'[0])
    a
>>> print('abcde'[4])
    e
```

図8　変数を使わずに、「abcde」という5文字から直接、1文字目と5文字目をそれぞれ取得した例

最初は違和感を覚えるかもしれませんが、「'abcde'[0]」のようなコードを見かけることもありますから、少しずつ慣れましょう。

02 後ろから数えて1文字取得する

Pythonでは、関数を使わずに、角カッコの中にインデックス番号を指定するだけで文字を取得できることを前節で学びました。この特長によって、文字列の「後ろからn文字目」を取得する場合も、VBAより簡単に書くことができます。

VBAで後ろから数えた文字を取得する

VBAで後ろから数えた文字を取得する場合には、Mid関数にLen関数を組み合わせます。イミディエイトウィンドウで

VBA
```
txt = "abcde"
```

を実行して変数txtに文字列「abcde」を代入した後、Mid関数の第2引数に文字数を取得するLen関数を指定した

```
Debug.Print Mid(txt, Len(txt), 1)
```

を実行すると、最後の1文字「e」を出力できます(**図1**)。

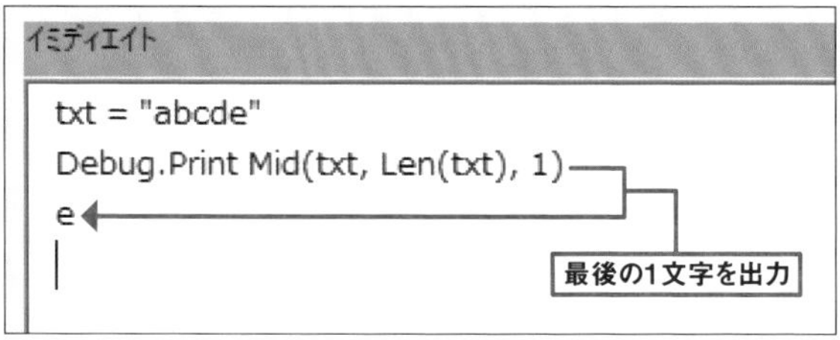

図1　変数txtに文字列「abcde」が代入されているとき、Mid関数とLen関数を組み合わせて「Mid(txt, Len(txt), 1)」と指定すると、最後の1文字である「e」を取得できる

後ろから数えてn文字目を取得する場合は、Len関数で取得した数値から引き算した値を、Mid関数の第2引数に指定します。「Len(txt) − 1」をMid関数の第2引数に指定して、

```
Debug.Print Mid(txt, Len(txt) - 1, 1)
```

を実行すると、後ろから2文字目の「d」を出力できます（**図2**）。

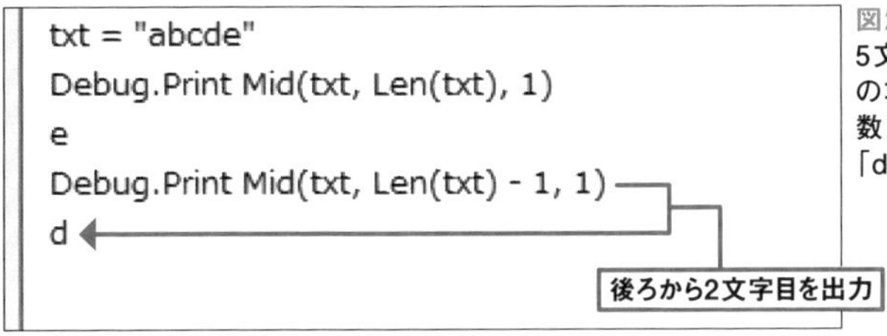

図2 変数txtに「abcde」という5文字が入っているときに上記のコードを実行すると、全文字数から1を引いた4文字目の「d」が出力される

同様に、Mid関数の第2引数を「Len(txt) − 4」と指定した

```
Debug.Print Mid(txt, Len(txt) - 4, 1)
```

を実行した場合は、後ろから5文字目の「a」が出力されます（**図3**）。

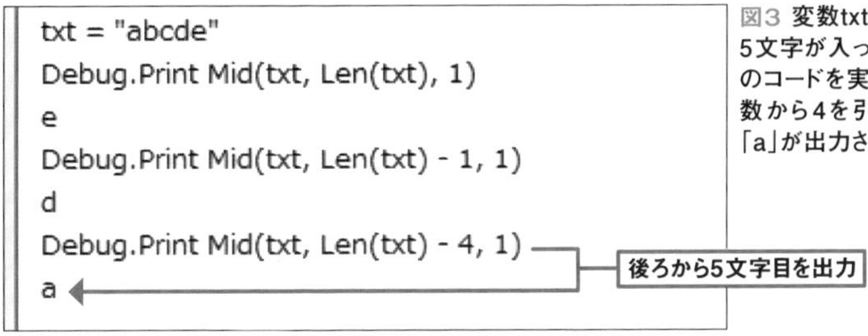

図3 変数txtに「abcde」という5文字が入っているときに上記のコードを実行すると、全文字数から4を引いた1文字目の「a」が出力される

Pythonで後ろから数えた文字を取得するのは簡単

Pythonの場合、角カッコ内で指定するインデックス番号にマイナスの数値も指定できるため、VBAより簡単なコードで、後ろから数えた1文字を取得できます。

Shellウインドウで確認しましょう。まず、

Python

```
txt = 'abcde'
```

を実行して変数txtに文字列「abcde」を代入します。続けて

```
print(txt[-1])
```

を実行すると、最後の1文字「e」を出力できます(**図4**)。

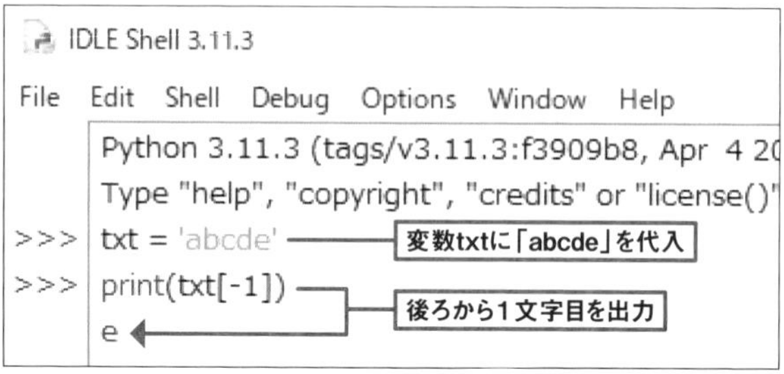

図4 Pythonでは「txt[-1]」のように変数名の後ろの角カッコにマイナスの数値も指定できる。「-1」と指定すれば、後ろから数えた1文字目を取得できる

同様に、インデックス番号に「−5」を指定した

```
print(txt[-5])
```

を実行すると、最後から5文字目の「a」を出力できます(**図5**)。

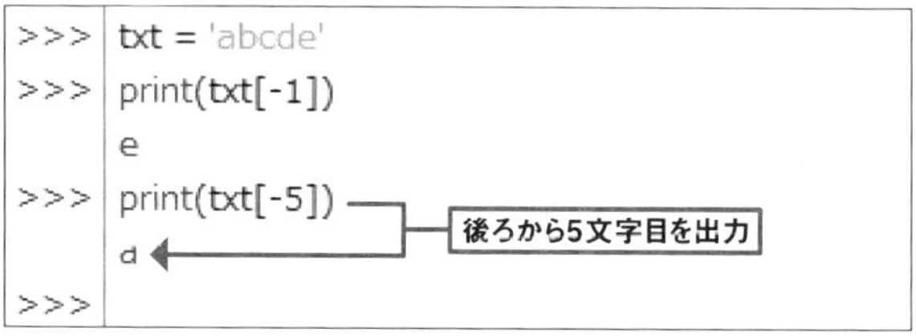

図5 角カッコの中のインデックス番号に「-5」を指定すれば、後ろから5文字目の「a」が取得できる

関数を使って引き算を行うVBAのコードと比べて、どちらが読みやすいか、コードを書く場合にもどちらが簡単か、いうまでもありません。

119ページで、インデックス番号が文字と文字の間を示し、その右側の文字を取得できることをお伝えしました。マイナスのインデックス番号の場合も、文字と文字の間を示すと考えてみてください(**図6**)。

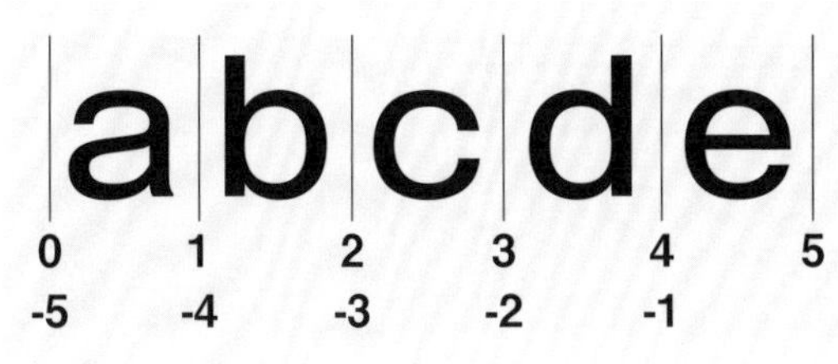

図6 マイナスのインデックス番号についても、文字と文字の間を指すものと考えるとわかりやすい。その右側の文字を取得できるのは、マイナスの場合でも同じだ

なお、変数を使わない

```
print('abcde'[-1])
```

でも、最後の1文字「e」が出力され、

```
print('abcde'[-5])
```

で、最後から5文字目の「a」が出力されます。

Pythonにもlen関数がある

VBAで後ろから数えた文字を取得するために、文字数を取得するLen関数を使う例を120ページで確認しました。PythonにもVBAのLen関数に似たlen関数が存在し、文字列の長さを取得できます。変数txtに文字列「abcde」が代入されているときに、

```
print(len(txt))
```

を実行すれば、文字数の「5」が出力されます(**図7**)。

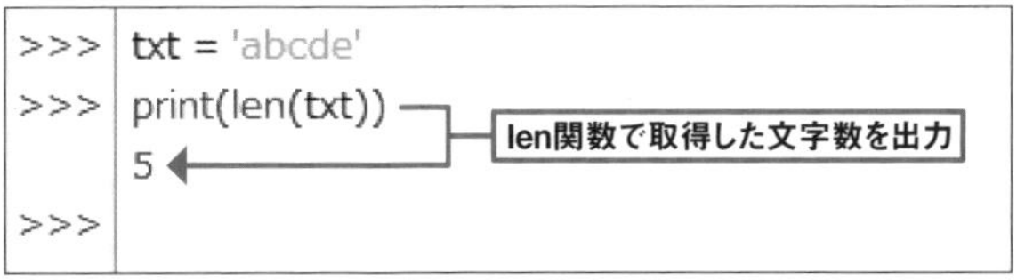

図7 Pythonでもlen関数を使って文字数を取得できる。ここでは「abcde」の文字数「5」が出力された

03 文字列の一部を取得するスライス

Pythonでは、文字列の一部・範囲を取り出すのも簡単です。角カッコの中で半角コロン「:」を使うと、範囲指定ができます。

```
txt = 'abcde'
```

Python

を実行し、変数txtに文字列「abcde」が代入されているときに、


```
print(txt[0:3])
```

のように角カッコ内に「0:3」と指定すると、「1文字目から3文字目」の文字列「abc」を出力できます（**図1**）。

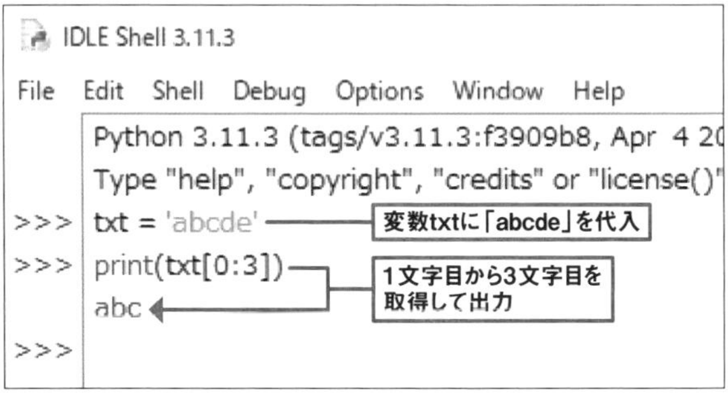

図1 Pythonでは、変数の後ろの角カッコ内でコロン「:」を使用して、インデックス番号の範囲を指定できる。「0:3」と指定すれば、「0から3の直前まで」という意味になり、ここでは1文字目から3文字目が取得・出力される

こういった処理を、「スライシング」「スライスする」といいます。角カッコ内に指定した「0:3」は、インデックス番号の「0」から、「3」になる直前までといった意味で、1文字目から3文字目という指示をしていることになります。

インデックス番号「0:3」の0を省略して、「:3」と指定することもできます。

```
print(txt[:3])
```

と指定した場合にも、1文字目から3文字目の「abc」が出力されます（**図2**）。

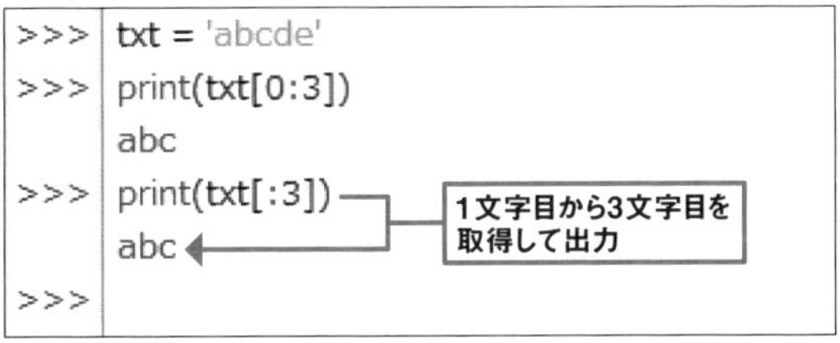

図2　角カッコ内に「:3」とだけ指定しても、「0:3」と同じ意味になる

3番目までの文字列という意味が、先ほどの「txt[0:3]」より、「txt[:3]」のほうが、わかりやすいと感じられるかもしれません。

前節で、インデックス番号にマイナスの数値を指定できることをお伝えしました。マイナスのインデックス番号を指定したスライスも可能です。

```
print(txt[-3:])
```

のように指定すると、後ろから3文字目以降の文字列「cde」を取得して出力できます（**図3**）。

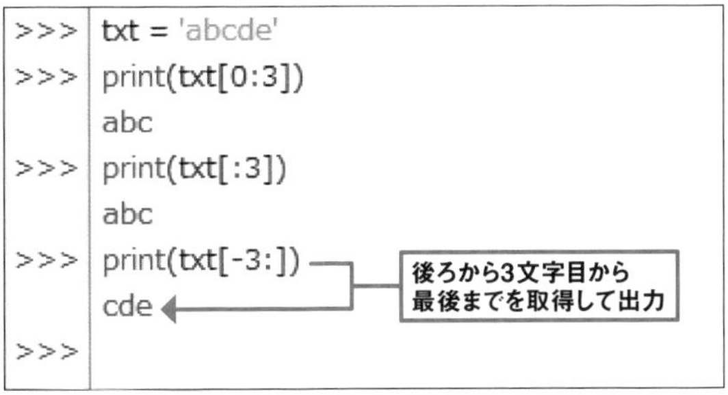

図3　角カッコ内にマイナスの数値を使って「-3:」と指定すると、「後ろから3文字目から最後まで」の意味になり、「cde」が取得できる

04 文字列から1文字ずつ取得する

何らかの文字列から1文字ずつ順番に取得する場合も、VBAよりPythonのほうが簡単なコードで済みます。

VBAで文字列から1文字ずつ取得する

VBAで何らかの文字列から1文字ずつ順番に取得・出力するには、以下のようなコードを利用します。

VBA
```
Dim txt As String
txt = "abcde"

Dim i As Long
For i = 1 To Len(txt)
    Debug.Print Mid(txt, i, 1)
Next
```

このコードを含むSubプロシージャを実行すると、イミディエイトウィンドウに「a」「b」「c」「d」「e」と出力されます（**図1**）。

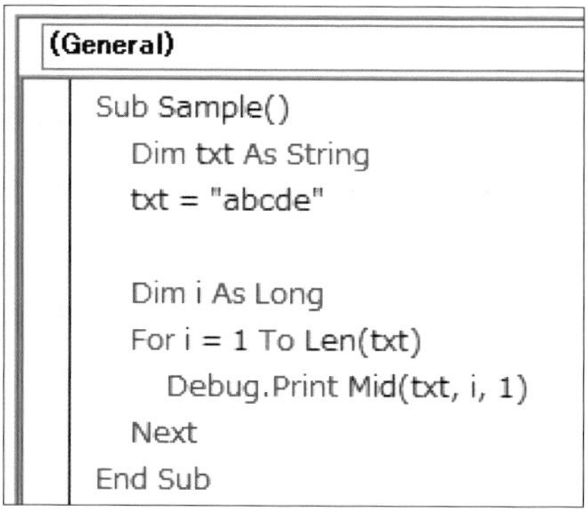

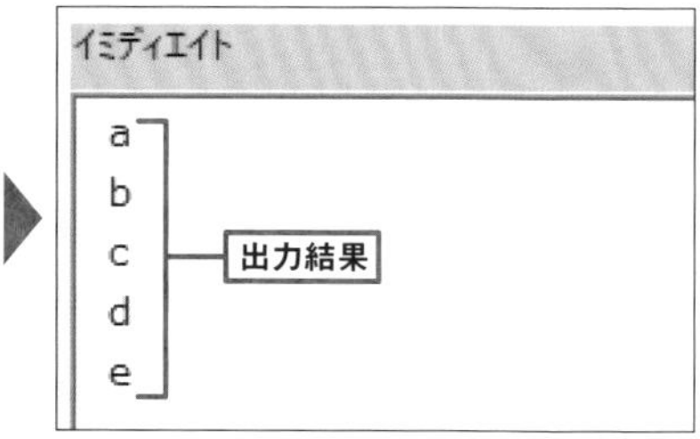

図1　VBEのコードウインドウに上記コードを含むSubプロシージャを作成して実行すると、イミディエイトウィンドウに「a」「b」「c」「d」「e」が順番に出力される

Pythonで文字列から1文字ずつ取得する

Pythonの場合、以下のような簡単なコードで同様の処理が可能です。

Python

```
txt = 'abcde'
for i in txt:
   print(i)
```

このコードをスクリプトファイルに保存して実行すると、Shellウインドウに「a」「b」「c」「d」「e」が順番に出力されます(**図2**)。

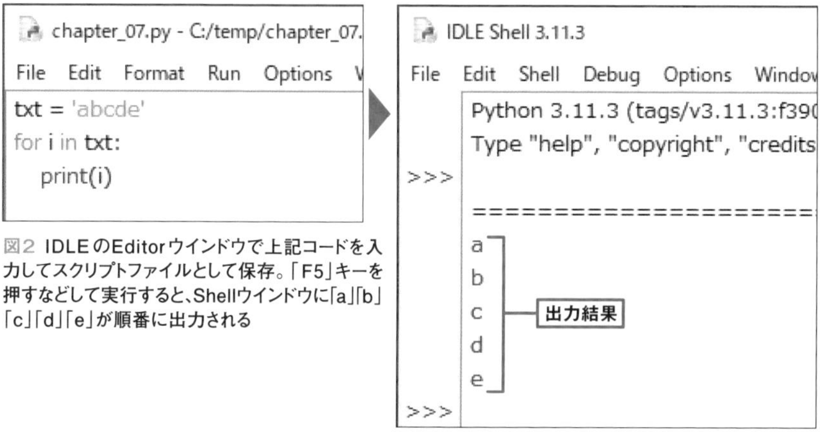

図2 IDLEのEditorウインドウで上記コードを入力してスクリプトファイルとして保存。「F5」キーを押すなどして実行すると、Shellウインドウに「a」「b」「c」「d」「e」が順番に出力される

なお、変数txtを使わない以下のコードを実行した場合にも、Shellウィンドウにaからeが出力されます。

```
for i in 'abcde':
    print(i)
```

第6章の105ページで、Pythonのfor文は、VBAのFor Each～Nextに似た構文であることをお伝えしました。ここで実行した、文字列を1文字ずつ順番に取得する際のfor文が、VBAのFor Each～Nextに似た使い方です。

VBAのFor Each～Nextは、コレクションに含まれる要素のオブジェクトに対して処理する際によく使われます。これはVBAのコレクションが、繰り返し処理できる形で作られていることによって、可能になっています。

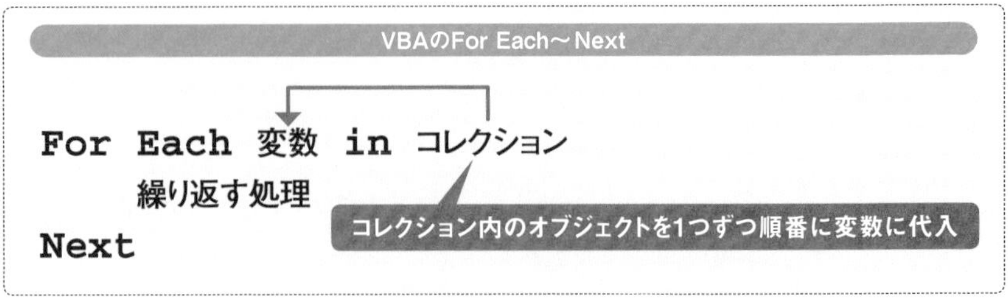

一方、Pythonの文字列であるstr型は単なる文字列ではなく、VBAのコレクションと同様に、繰り返し処理が可能な「オブジェクト」なのです。

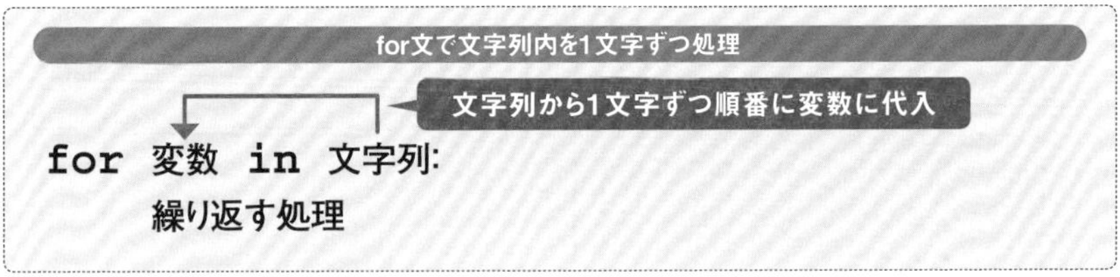

for文の挙動については、第8章で「リスト」について学習してから、再度確認しましょう。

05 str型のさまざまな操作

ここまで操作してきたPythonの文字列(str型)には、さまざまなメソッドが用意されています。VBAの文字列を操作する関数と比較しながら見ていきましょう。

VBAで文字を探すにはInStr関数

VBAではInStr関数を使うことで、ある文字列の中で、指定した文字が何文字目に存在しているのかを調べられます。VBEのイミディエイトウィンドウで操作してみましょう。

VBA
```
txt = "abcde"
```

を実行して変数txtに文字列「abcde」を代入した後、InStr関数の第1引数に変数txt、第2引数に探したい文字「a」を指定した次のコードを実行します。

```
Debug.Print InStr(txt, "a")
```

すると、「a」は1文字目に存在するので「1」が出力されます(**図1**)。

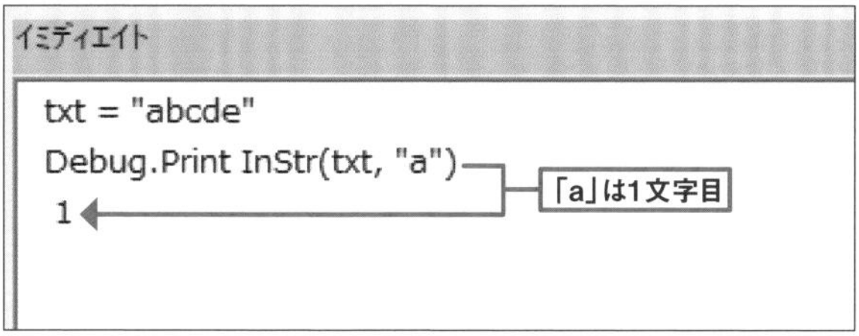

図1 InStr関数を使って「InStr(txt, "a")」と指定すると、「a」が何文字目にあるかを取得できる。ここでは変数txtに文字列「abcde」が代入されているので、1文字目の1が出力された

```
Debug.Print InStr(txt, "e")
```

のように、第2引数に「e」を指定すれば、「e」は5文字目にあるため「5」が出力されます(**図2**)。

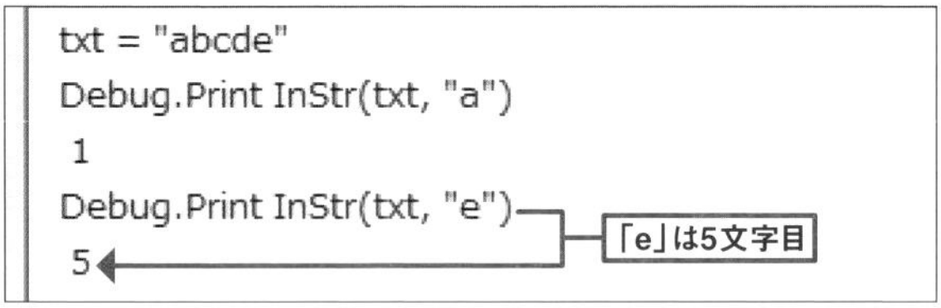

図2 同様に変数txtに「abcde」という文字列が代入されているとき、「InStr(txt, "e")」と指定すると、5文字目の「5」が取得できる

Pythonで文字を探すにはfindメソッドを使う

同様の処理をPythonで行う場合、str型に用意されているfindメソッドを使用します。元の文字列の中で、探したい文字列が何文字目かを取得するには、以下のような書き方をします。

ある文字列が何文字目にあるかを調べる

元の文字列.find(探したい文字列)

Shellウインドウで確認しましょう。まず、

Python

```
txt = 'abcde'
```

を実行して、変数txtに文字列「abcde」を代入します。

次に、findメソッドの引数に文字「a」を指定した、次のコードを実行します。

```
print(txt.find('a'))
```

操作対象にする変数名の後ろに半角ドットを入力し、続けてメソッド名を入力してください。「txt.find('a')」をprint関数の引数に指定して実行すると、「a」は1文字目に存在するので「0」が出力されます(**図3**)。

図3 Pythonではstr型に用意されているfindメソッドで、指定した文字が何文字目かを取得できる。インデックス番号は「0」から始まる点に注意

Pythonの場合、このようなn番目を示すインデックス番号は、「1」ではなく「0」から始まることを、ここでも意識しましょう。

同様に変数txtに「abcde」の5文字が代入されているときに、findメソッドの引数に「e」を指定して

```
print(txt.find('e'))
```

を実行すれば、「e」は5文字目なので「4」が出力されます（**図4**）。

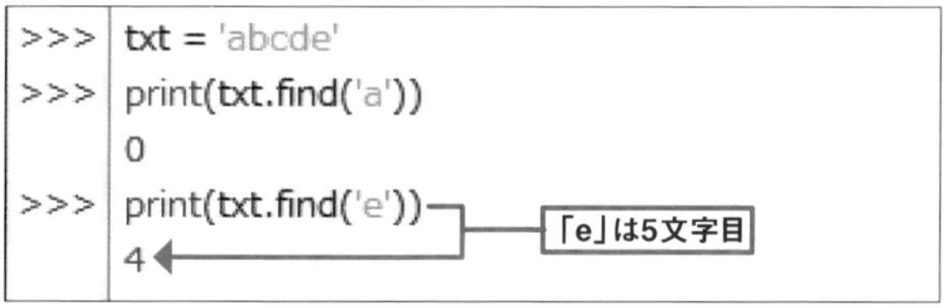

図4 findメソッドの引数に「e」を指定すると、5文字目にあるので「4」が取得できる

VBAのコードとは異なる書き方をするため最初は戸惑うかもしれませんが、「find」という英単語から、VBAのInStr関数よりも指定した文字を「探す」という意味がわかりやすくなっています。

特定文字列で始まっているかをVBAで調べる

ある文字列が、特定の文字列で始まっているかを確認したいということもあります。このような場合、VBAではLeft関数で左から文字列を取得して、確認したい文字列と比較するという手法がよく使われます。

VBEのイミディエイトウィンドウで

VBA
```
txt = "abcde"
```

を実行して変数txtに文字列「abcde」を代入した後、Left関数で取得した1文字目が「a」と等しいかを、比較演算子「=」で判定します。

```
Debug.Print Left(txt, 1) = "a"
```

上記のコードを実行すると、1文字目は「a」なのでTrueと出力されます（**図5**）。

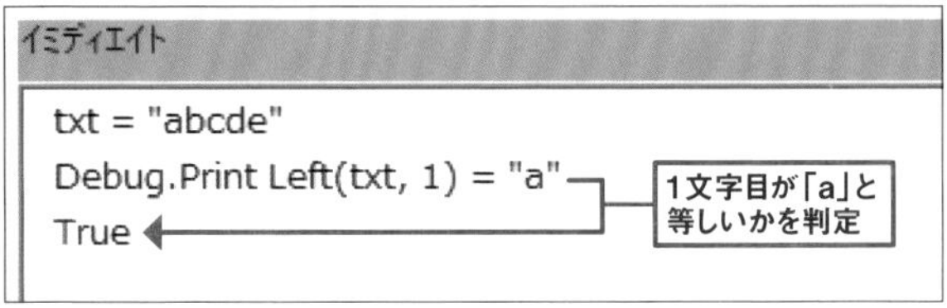

図5 変数txtに「abcde」という文字列を代入した状態で、Left関数で取得した「左から1文字」が「a」かどうかを判定すると、Trueが返される

同様に、

```
Debug.Print Left(txt, 1) = "b"
```

で1文字目が「b」と等しいかを判定すると、1文字目は「b」ではないのでFalseと出力されます（**図6**）。

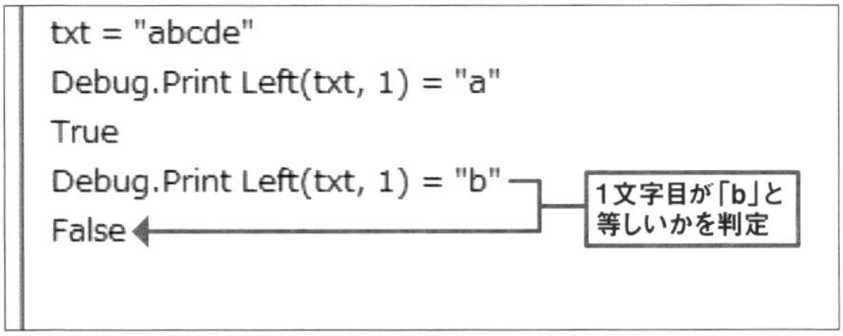

図6 同様に、Left関数で取得した1文字目が「b」と等しいかを判定すると、「b」ではないためFalseが返される

Pythonではstartswithメソッドを使う

一方、Pythonで特定の文字列から始まっているかどうかを調べるには、str型に用意されているstartswithメソッドを使います。その名前のとおり、指定した文字列で始まっているかを判定できます。

> **特定の文字列で始まっているかどうかを判定する**
>
> 元の文字列**.startswith(**調べたい文字列**)**

Shellウインドウで確認しましょう。

Python
```
txt = 'abcde'
```

を実行して、変数txtに文字列「abcde」が代入されているときに、startswithメソッドの引数に「a」を指定した、以下のコードを実行します。

```
print(txt.startswith('a'))
```

変数txtは「a」で始まっているので、Trueと出力されます（**図7**）。

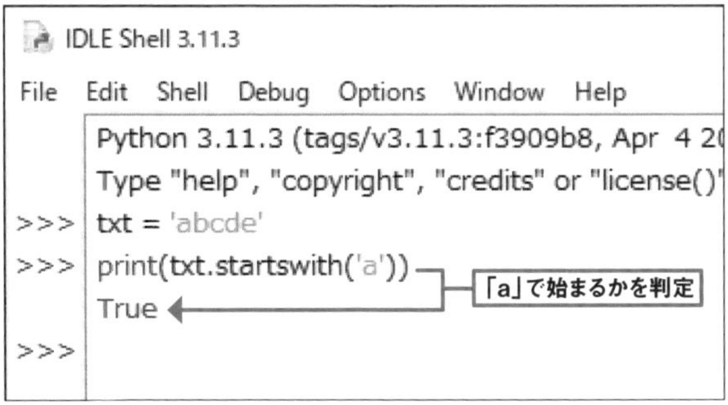

図7 Pythonではstartswithメソッドで、特定の文字列で始まっているかを判定できる。ここでtxtには「abcde」が代入されていて「a」で始まっているため、引数に「a」を指定するとTrueが返される

startswithメソッドの引数に「b」を指定して

```
print(txt.startswith('b'))
```

を実行すると、「b」では始まっていないため、Falseが出力されます（**図8**）。

```
>>> txt = 'abcde'
>>> print(txt.startswith('a'))
True
>>> print(txt.startswith('b'))
False
>>>
```

「b」で始まるかを判定

図8 startswithメソッドの引数に「b」を指定すると、Falseと判定される

VBAの比較演算による判定と、英語のようにも読めるstartswithメソッドを使った判定と、どちらが理解しやすいか（理解する負荷が低いか）は、いうまでもないでしょう。

Memo

startswithメソッドに似た、特定の文字列で終わっているかを調べるendswithメソッドも、str型には用意されています。

文字列が含まれているかを判定するにはin演算子

VBAで、ある文字列の中に何らかの文字列が含まれているかを確認する場合、先ほどのInStr関数の戻り値が「0」ではないことを利用する手法がよく使われます。

それに対しPythonでは、第4章の81ページで学習したin演算子を使って文字列の有無を判定できます。

文字列が含まれているかを判定する

調べたい文字列 `in` 元の文字列

```
txt = 'abcde'
```

を実行して、変数txtに文字列「abcde」が代入されているときに、in演算子を使って「'a' in txt」という比較演算を行ってみましょう。

```
print('a' in txt)
```

を実行すると、文字「a」は文字列「abcde」に含まれていますから、Trueと出力されます（**図9**）。

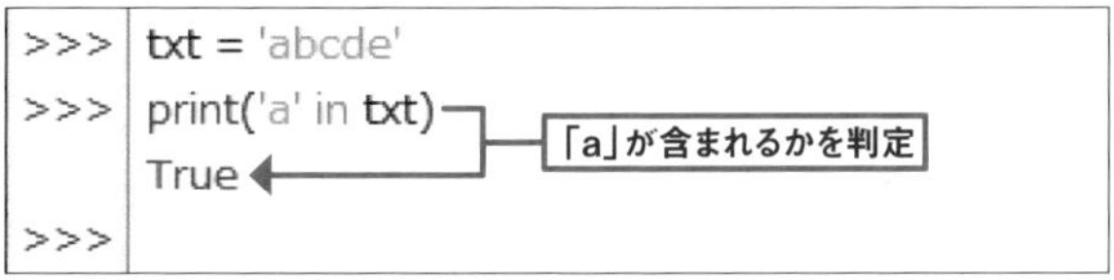

図9 in演算子を使って変数txtに文字「a」が含まれるかを判定すると、Trueが返される

一方、文字「A」が含まれるかを

```
print('A' in txt)
```

で判定すると、文字列「abcde」に大文字の「A」は含まれていませんから、Falseと出力されます（**図10**）。

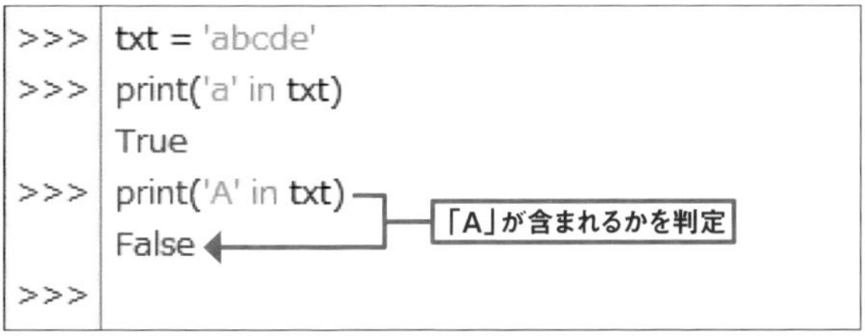

図10 in演算子を使って変数txtに大文字の「A」が含まれるかを判定すると、Falseが返される

VBAのInStr関数よりも、「'a' in txt」「'A' in txt」という記述のほうが、英語のようであり、意味がわかりやすいと感じるのではないでしょうか。

06 すべてのデータがオブジェクト

ここまでstr型を操作するコードを学習してきて、VBAの文字列操作とは、コードの書き方が随分異なると感じていることでしょう。VBAの場合は、

```
関数名(文字列, その他の引数)
```
VBA

といった書き方をするケースが多いのに対し、Pythonでは例外もあるものの、

```
文字列.メソッド名(何らかの引数)
```
Python

のように書くケースが多くなっています。

str型は単なる文字列ではない

VBAのString型は単なるデータにすぎず、メソッドは存在しません。関数を使って処理を行います。一方、Pythonのstr型は単なるデータではなく、何らかの処理を行う機能（すなわちメソッド）も用意されている「オブジェクト」です。

これはstr型にのみ該当する特徴ではありません。Pythonのデータは、すべてがオブジェクトです。数値を扱うint型やfloat型、論理値を扱うbool型もオブジェクトであり、それぞれにメソッドが用意されています。

関数等で処理する場合もある

ただしPythonの文字列は、いつでも絶対にメソッドを使って処理するというわけではありません。len関数で文字列の長さを取得したり、in演算子で含まれるかどうかを調べたりしたように、関数や演算子を使う場合もあります。

Pythonでは、何らかのデータ型に固有な処理についてはオブジェクトにメソッドが用意され、そうではない場合には関数・演算子・文で処理するケースが多くなっています。

第8章

配列より便利なリストを操作しよう

この章で学ぶこと

- Pythonのリストは VBAの配列に似たデータ構造だが、配列より扱いやすい
- 角カッコに要素を羅列したり、list関数を使ったりすることで、リストを作成できる
- リストはstr型と似た操作が可能である
- リストはメソッドや関数などを使って、VBAの配列よりも簡単に操作できる

01 リストの基本

VBAの配列をもっと便利にしたデータ構造が、Pythonにはあります。この第8章で学習する「リスト」です。VBAの配列が苦手な方も、Pythonのリストを知ってから学び直すと、理解しやすくなるかもしれません。

VBAの配列の基本

最初に、VBAの配列の基本を思い出しましょう。VBAではさまざまな方法で配列を作成でき、例えば以下のようにArray関数を使うと、1から5までの整数を要素として持つ配列を作れます。

```
arr = Array(1, 2, 3, 4, 5)
```
VBA

この配列arrから要素を取得するには、丸カッコ内にインデックス番号を指定します。1番目の要素を指定し、出力する場合は次のとおりです。

```
Debug.Print arr(0)
```

これらの2行をイミディエイトウィンドウで順番に実行すると、「1」が出力されます（**図1**）。

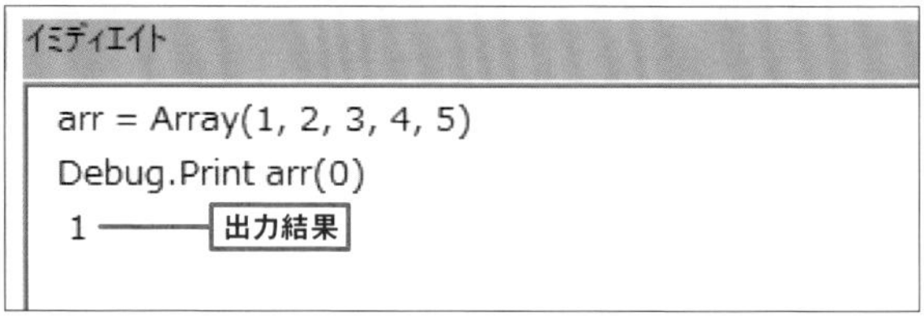

図1 VBEのイミディエイトウィンドウで上記の2行を実行すると、「1」が出力される

Memo

配列のインデックス番号は、特に指定しなければ「0」から始まるのが基本です。丸カッコ内に指定する数値は「添え字」と表記する場合もありますが、本書では「インデックス番号」としています。

今回は要素が「1」「2」「3」「4」「5」の5個ですから、最後の要素を取得するには以下のようにインデックス番号「4」を指定します。

```
Debug.Print arr(4)
```

これを実行すると「5」が出力されます(**図2**)。

```
arr = Array(1, 2, 3, 4, 5)
Debug.Print arr(0)
 1
Debug.Print arr(4)
 5 ―― 出力結果
```

図2 配列arrのインデックス番号を「4」にすると、5番目にある要素「5」が取得できる

Pythonのリストの基本

続いて、PythonのリストをShellウインドウで操作してみましょう。

Pythonでは、以下のようなコードで、1から5までの整数を要素として持つリストarrを作れます。

```
arr = [1, 2, 3, 4, 5]
```

Python

VBAのArray関数のような関数を使う必要はありません。角カッコ内にカンマ「,」で区切りながら、要素を並べて書くとリストになります。

Memo

関数などを使ってリストを作成する方法もあります。

各要素は、角カッコ内にインデックス番号を指定することで取得できます。リストarrから1番目の要素を取得・出力する場合、以下のように指定します。

```
print(arr[0])
```

これをShellウインドウで実行すると、**図3**のように「1」が出力されます。

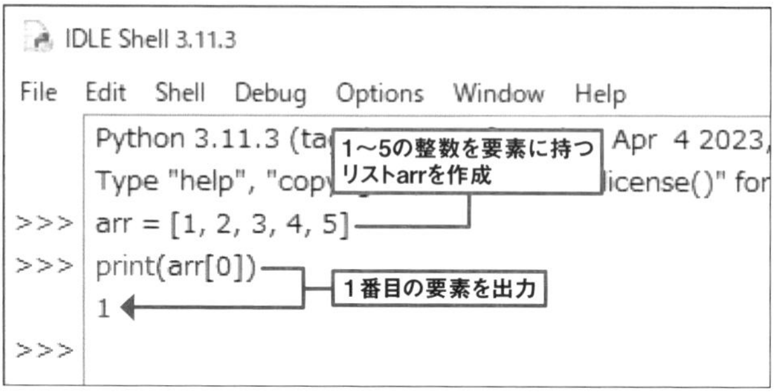

図3 Pythonのリストでは「arr [0] 」のようにリスト名の後ろに角カッコを付けてインデックス番号を指定することで、目当ての要素を取得できる。ここではprint関数により「1」と出力された

Memo

リストのインデックス番号は、必ず「0」から始まります。

2番目の要素を取得する場合は、以下のように「1」を指定します。

```
print(arr[1])
```

これで**図4**のように「2」が出力されます。

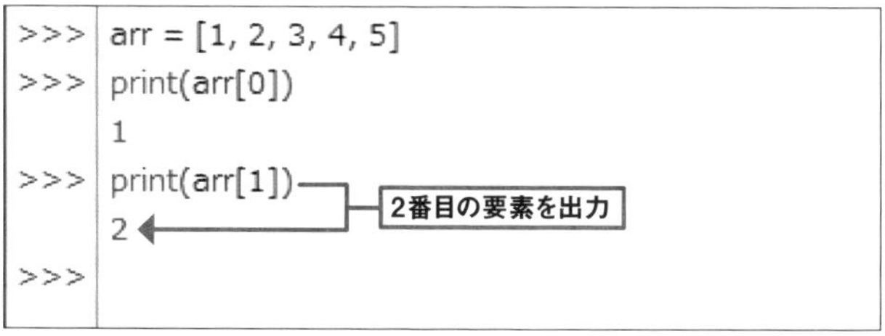

図4 インデックス番号を「1」にして「arr [1] 」のように指定すると、2番目の要素である「2」が取得できる

要素が5個のリストから最後の要素を取得するには、「4」を指定します。

```
print(arr[4])
```

これを実行すると、「5」が出力されます（**図5**）。

```
>>> arr = [1, 2, 3, 4, 5]
>>> print(arr[0])
1
>>> print(arr[1])
2
>>> print(arr[4])
5
>>>
```

5番目の要素を出力

図5　要素の数が5個なら、インデックス番号を「4」にして「arr[4]」のように指定することで、最後に当たる5番目の要素を取得できる

Memo

Pythonの入門書では、リストを代入する変数名に「lst」や「l」（小文字のエル）などを使っているケースが少なくありませんが、PythonのリストがVBAの配列と似たデータ構造であることを意識しやすくするために、本書では変数名を「arr」としています。

Pythonのリストは連結リストではない

基本情報技術者試験などの勉強をした方なら、「連結リスト」（省略して「リスト」）という名前のデータ構造をご存じだと思います。非常に紛らわしいのですが、Pythonのリストは、連結リストではありません。

連結リストは、Pythonのリストのように、インデックス番号を使った要素取得はできません。インデックス番号で要素を取得できるデータ構造は、配列です。

ただし、配列には不便な部分があります。要素を追加したり削除したりするのが面倒なのです。逆に連結リストでは、要素の追加や削除が簡単です。

この後、本章で学習するようにPythonのリストは、連結リストの得意な部分も持っています。配列のようにインデックス番号による要素取得が可能で、連結リストが得意な部分も併せ持っているのがPythonのリストです。

02 リストの便利な操作

Pythonのリストが、VBAの配列と似ていることを簡単に確認したところで、リストの便利な操作を見ていきましょう。

インデックス番号にはマイナス値も指定できる

Pythonのリストでは、要素を指定するインデックス番号に、マイナスの値も指定できます。

Python

```
arr = [1, 2, 3, 4, 5]
```


のようなリストarrが存在するときに、インデックス番号に「−1」を指定して

```
print(arr[-1])
```

を実行すると、**図1**のように最後の要素を出力できます。

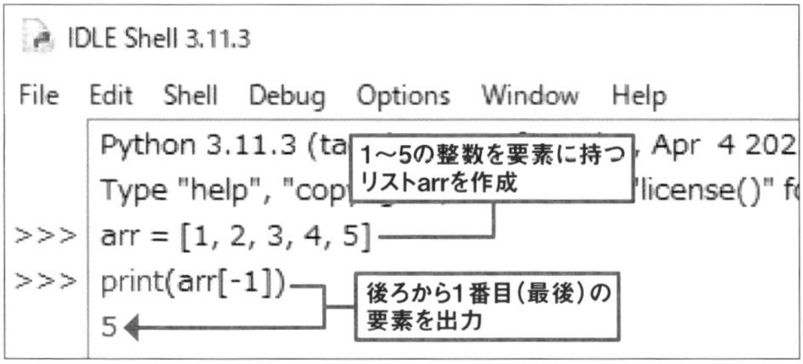

図1 リストarrのインデックス番号に「-1」を指定して「arr[-1]」のように書くと、最後の要素「5」を取得できる

インデックス番号に「−2」を指定して

```
print(arr[-2])
```

とすれば、最後から2番目の要素を出力できます(**図2**)。

```
>>> arr = [1, 2, 3, 4, 5]
>>> print(arr[-1])
5
>>> print(arr[-2])
4
```

後ろから2番目の要素を出力

図2 インデックス番号を「-2」にして「arr[-2]」と指定すると、最後から2番目の要素「4」が取得できる

後ろから数えた要素を取得する場合、VBAの配列では要素数から引き算する必要があるのに対し、Pythonのリストではマイナスの値を指定するだけで済むので便利です。

リストは中身を簡単に確認できる

VBAで、配列にどのようなデータが代入されているのか中身を確認するには、ステップ実行中にローカルウィンドウを使用するか、ループ処理を行って中身をイミディエイトウィンドウに出力する必要があります。

Pythonのリストの場合、もっと簡単に中身を確認できます。

```
arr = [1, 2, 3, 4, 5]
```

のようなリストarrがあるときに、

```
print(arr)
```

を実行すると、リストの中身を確認できます(**図3**)。

```
>>> arr = [1, 2, 3, 4, 5]
>>> print(arr[-1])
5
>>> print(arr[-2])
4
>>> print(arr)
[1, 2, 3, 4, 5]
```

リストarrの中身を出力

図3 リストarrの中身を確認するには、print関数の引数にリストを指定すればよい。リストの中身がすべて出力される。角カッコでくくられていることから、リストであることがわかる

VBAのようにループ処理を行うこともなく、print関数の引数にリストを指定するだけです。

リストの一部を切り出すスライス

第7章の124ページで、文字列の一部を切り出して取得する「スライシング」について解説しました。リストに対してもスライスが可能です。

```
arr = [1, 2, 3, 4, 5]
```

のようなリストarrがあるときに、文字列をスライスするのと同様の指定で、リストの一部を取得できます。例えば

```
print(arr[:3])
```

を実行すると、先頭から3番目までの要素を取得できます（**図4**）。

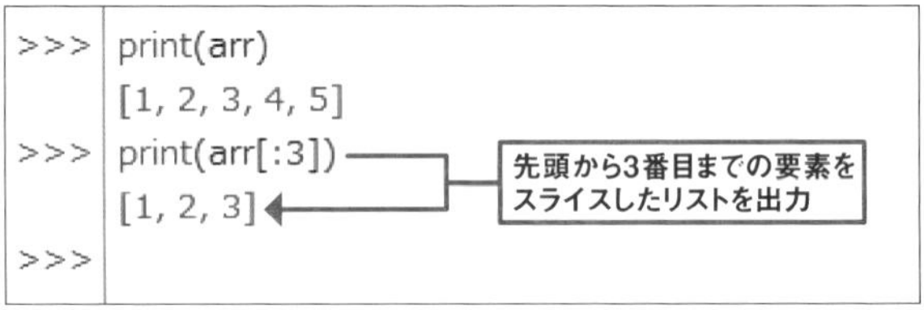

図4　文字列と同様にリストでもスライスが可能。「arr[:3]」と指定することで、「インデックス番号3の直前まで」という意味になり、3番目の要素までが取得できる

角カッコの中で、コロン「:」とインデックス番号を使って指定するのは、文字列のスライシングと同じです。「:3」は、「0:3」と書いても同じで、「インデックス番号の0から3になる直前まで」といった意味になり、1番目から3番目を指定していることになります。

03 リストに対するループ処理

VBAでは以下のようなコードを実行すると、イミディエイトウィンドウに1から5の整数が出力されます。

VBA

```
Dim arr As Variant
arr = Array(1, 2, 3, 4, 5)

Dim i As Variant
For Each i In arr
    Debug.Print i
Next
```

For Each～Nextを使って、配列arrの要素を順番に変数iに代入し、出力を繰り返すコードです（**図1**）。

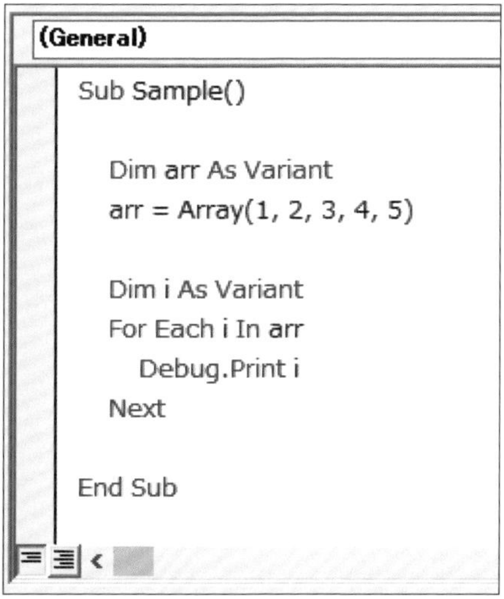

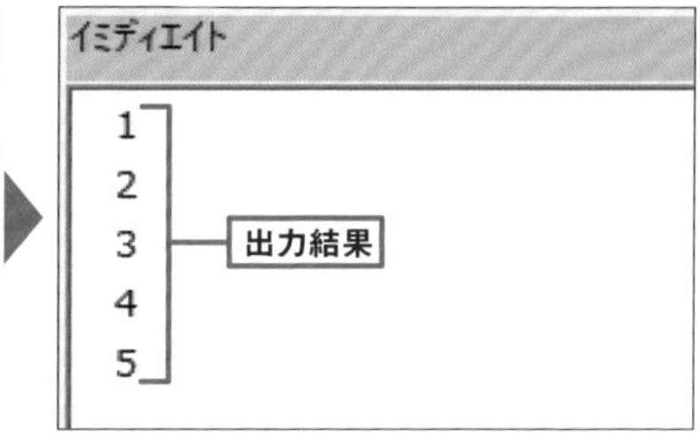

図1　VBEで上記のコードを含むSubプロシージャを作成し実行すると、イミディエイトウィンドウに1から5が順番に出力される

これと似た処理を行うPythonのコードは、以下のとおりです。

Python

```
arr = [1, 2, 3, 4, 5]

for i in arr:
    print(i)
```

IDLEのEditorウインドウで上記のスクリプトファイルを作成・保存し、実行すると、Shellウインドウに1から5が出力されます（**図2**）。

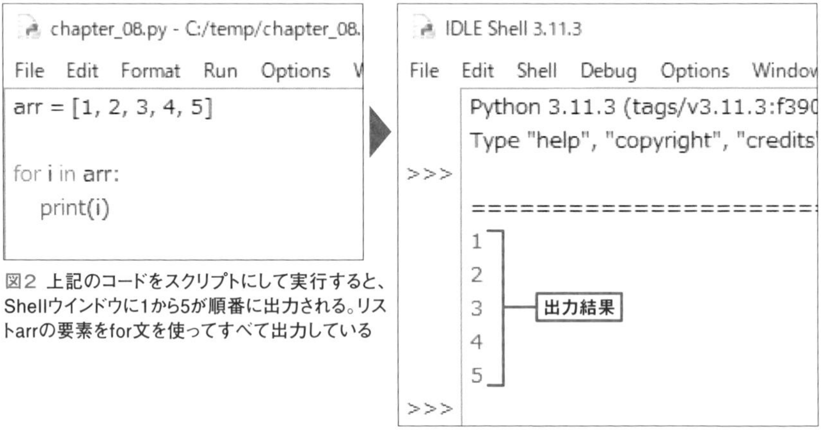

図2 上記のコードをスクリプトにして実行すると、Shellウインドウに1から5が順番に出力される。リストarrの要素をfor文を使ってすべて出力している

第6章の105ページで、Pythonのfor文は、VBAのFor Each〜Nextに似た構文であることをお伝えしました。配列に対するFor Each〜Nextと、リストに対するfor文から、Pythonのfor文がFor Each〜Nextに近いことが感じられるのではないでしょうか。Pythonの

```
for i in arr:
```

は、意味としては「for each i in arr:」と同じで、「each」を記述しないルールになっていると考えてみてください。

Pythonのfor文は、VBAのFor Each〜Nextと同じく、繰り返し処理可能なデー

タやデータ構造から、要素を順番に取得する構文であることを意識してください。

for文でリストの要素を1つずつ処理

リストから要素を順番に変数に代入

```
for 変数 in リスト:
    繰り返す処理
```

リストもstr型もイテラブル

ここまでリストの操作を行ってみて、第7章で学習したstr型の操作とかなり似ていると感じていることでしょう。どちらも角カッコ内にインデックス番号を指定して一部を取得したり、for文を使って簡単に要素を取得したりできるといった点で、よく似ています。

for文で簡単に繰り返し処理可能なデータ構造が、Pythonにはほかにも存在します。本書では扱っていないディクショナリ(辞書)やセット(集合)も、for文で繰り返し処理ができます。こういった「繰り返し処理可能」なデータやデータ構造を、「イテラブルなオブジェクト」といいます。

Memo

「iterable(イテラブル)」は、「繰り返し可能な」といった意味の単語です。

数値はイテラブルではない

本書の第5章で、数値を扱うデータ型としてint型とfloat型を学びました。これらはいずれもイテラブルなオブジェクトではありません。以下のfor文

```
for i in 12345:
    print(i)
```

を実行すると、「TypeError: 'int' object is not iterable」('int'はiterableではない)という型エラーが発生します。

04 range関数とlist関数でリストを作成する

角カッコ内にデータを羅列するのではない、リストの作成方法もあります。第6章で学習したrange関数と、リストを作成するlist関数を組み合わせる方法でも、連続した数値を要素として持つリストを作成できます。

例えば、

```
arr = list(range(1, 6))
```

Python

を実行すると、1から5までの整数を要素として持つリストarrが作れます。

```
print(arr)
```

を実行して変数arrの中身を出力すると、**図1**のようになります。

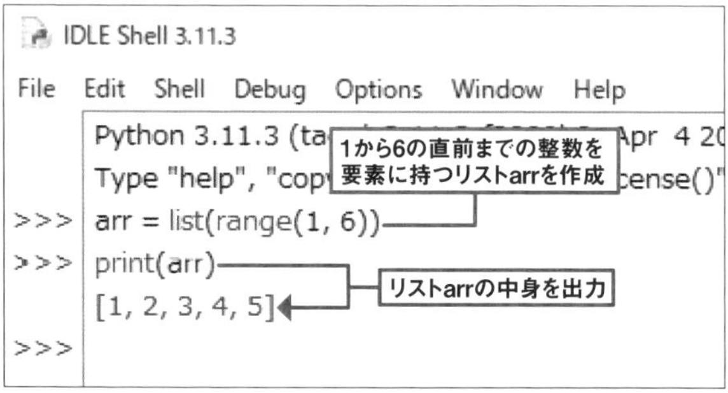

図1　range関数で1から6の直前までの整数を生成し、list関数でそれをリストにして変数arrに代入した。print関数で中身を確認すると、1から5の整数になっていることがわかる

range関数の引数は、第6章の106ページで解説したとおりです。第3引数（増分値）に「2」を指定した

```
arr = list(range(1, 6, 2))
```

を実行すると、1、3、5を要素として含むリストarrが作成されます。

```
print(arr)
```

を実行して変数arrを出力すると、**図2**のとおりです。

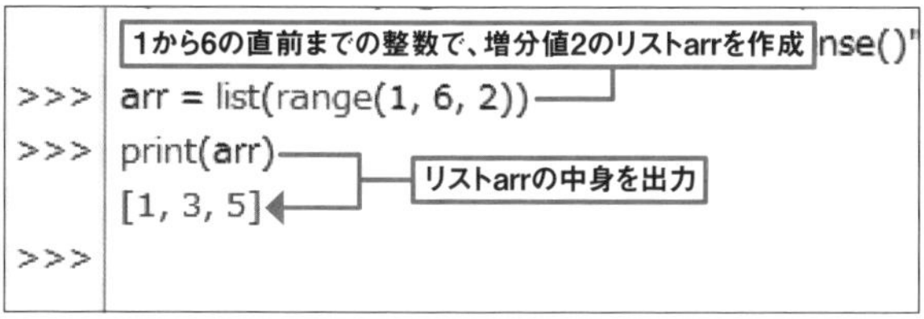

図2 「range(1, 6, 2)」で、「1から始まり、2ずつ増える、6の直前までの整数」を生成できる。これをlist関数でリストにして変数arrに代入した。その中身をprint関数で出力すると、1、3、5を要素として含むリストになっていることがわかる

range関数の増分値にはマイナスの値も指定できますから、

```
arr = list(range(3, 0, -1))
```

を実行すると、3、2、1を要素として含むリストが作成されます。

```
print(arr)
```

で変数arrを出力すると、**図3**のとおりです。

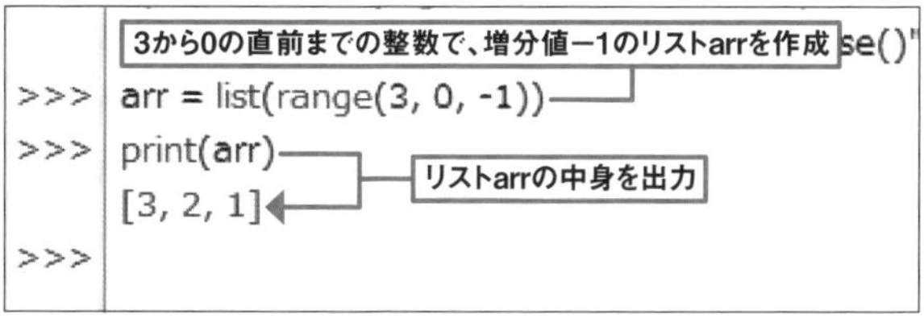

図3 「range(3, 0, -1)」で、「3から始まり、1ずつ減る、0の直前までの整数」を生成できる。これをlist関数でリストにして変数arrに代入した。その中身をprint関数で出力すると、3、2、1を要素として含むリストになっていることがわかる

05 リストのさまざまな操作

Pythonのリストには、VBAの配列よりも便利な操作方法が用意されています。特徴的な操作をいくつか見ていきましょう。

末尾に要素を追加するappendメソッド

appendメソッドを使うと、リストの末尾に要素を追加できます。

リストの末尾に要素を追加する

リスト.append(末尾に追加したいデータ)

Memo
「append」は、付け足す・添えるといった意味の単語です。

例えば、

Python
```
arr = [1, 2, 3, 4, 5]
```

のようなリストarrがあるときに、追加したいデータをappendメソッドの引数に指定して

```
arr.append(6)
```

のように書くと、リストの末尾に「6」が追加(append)されます。

```
print(arr)
```

で中身を出力すると、**図1**のようになります。

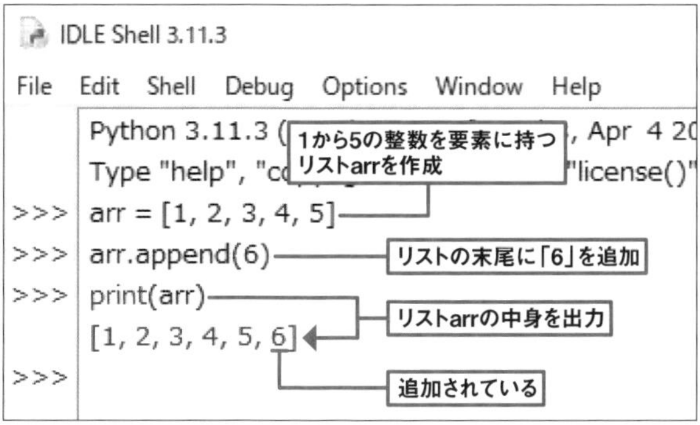

図1 1から5の整数を要素に持つリストarrの末尾に、appendメソッドで「6」を追加した。print関数でarrの中身を出力すると、1から6の整数が入っていることがわかる

VBAの配列で同様の処理を行うには、配列のサイズを事前に変更してから追加しなければなりません。それに対し、リストへの要素追加はとても簡単です。

任意の位置に要素を追加するinsertメソッド

リストの任意の位置に要素を追加するのも簡単です。これには、insertメソッドを使います。

リストの任意の位置に要素を追加する

リスト.insert(インデックス番号, 追加したいデータ)

```
arr = [1, 2, 3, 4, 5, 6]
```

のようなリストarrがあるときに、先頭に要素を追加するには、

```
arr.insert(0, 7)
```

のようなコードを実行します。insertメソッドでは、第1引数に追加したい位置を示すインデックス番号、第2引数に追加したいデータを指定します。

```
print(arr)
```

で中身を出力すると、次ページ**図2**のようになります。

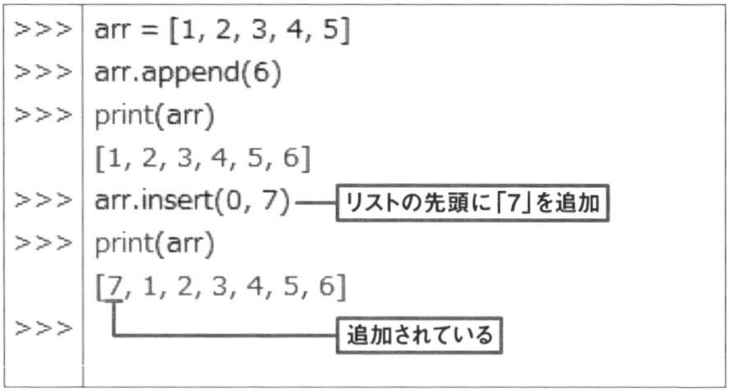

図2 1から6の整数を要素に持つリストarrの先頭に、insertメソッドで「7」を追加した。先頭の位置は、インデックス番号を「0」と指定する。print関数でarrの中身を出力すると、7が先頭に挿入されている

ここではarr.insertの第1引数にインデックス番号「0」、第2引数に「7」を指定したので、リストarrの先頭に「7」が追加されています。

指定したデータを削除するremoveメソッド

removeメソッドを使うと、指定したデータをリストから削除できます。

リストから任意の要素を削除する

リスト.**remove**(削除したいデータ)

Memo

「remove」は、取り除く・除去するといった意味の単語です。

例えば、

```
arr = [7, 1, 2, 3, 4, 5, 6]
```

のようなリストarrがあるときに、

```
arr.remove(7)
```

を実行すると、引数に指定したデータ「7」が削除(remove)されます。

```
print(arr)
```

で中身を出力すると、**図3**のようになります。

```
>>> print(arr)
[1, 2, 3, 4, 5, 6]
>>> arr.insert(0, 7)
>>> print(arr)
[7, 1, 2, 3, 4, 5, 6]
>>> arr.remove(7)
>>> print(arr)
[1, 2, 3, 4, 5, 6]
>>>
```

リストから要素「7」を削除

削除された

図3 removeメソッドを使って「arr.remove(7)」を実行すると、引数に指定したデータ「7」をリストarrから削除できる

ここでremoveメソッドの引数に指定した「7」は、インデックス番号ではなく、削除したいデータそのものです。なお、同じデータが複数あった場合は最初の1つが削除され、リストに存在しないデータが引数に指定された場合はValue Errorが発生します。

インデックス番号で要素を削除するdel文

リストの中から、インデックス番号を指定して要素を削除したいときは、del文を利用します。インデックス番号には、これまで学習してきたリスト操作と同様に、マイナスの値も指定できます。

リストの要素をインデックス番号で指定して削除する

del リスト[インデックス番号]

```
arr = [1, 2, 3, 4, 5, 6]
```

のようなリストarrがあるときに、

```
del arr[-1]
```

を実行すると、末尾の要素を削除できます。

```
print(arr)
```

で中身を出力すると、**図4**のようになります。

```
>>> print(arr)
    [7, 1, 2, 3, 4, 5, 6]
>>> arr.remove(7)
>>> print(arr)
    [1, 2, 3, 4, 5, 6]
>>> del arr[-1]
>>> print(arr)
    [1, 2, 3, 4, 5]
>>>
```

リストから末尾の要素を削除

削除された

図4　del文を使うと、リストarrの中の指定した要素を削除できる。インデックス番号を「-1」とすれば、末尾の要素を指定して削除できる

要素削除がdel文であることについて

ここまで見てきたリストに対する操作がメソッドであるのに対し、delについては文であることに、疑問を感じる方がいるかもしれません。第7章の136ページでもお伝えしたとおり、Pythonにはこういうケースがあります。特定のデータ型に限定されない処理については、メソッドではなく関数・演算子・文を使う場合があります。

実はPythonでは、変数をdel文で削除できます。同じdel文で、リストの要素も削除できるようになっているのです。

要素数を取得するlen関数

特定のデータ型に限定されない処理として、len関数も確認しましょう。第7章123ページで、文字列の長さを取得するlen関数をお伝えしました。len関数は、str型にのみ使えるわけではなく、リストを引数に指定した場合には、リストに含まれる要素の個数を取得できます。

リストの要素数を取得する

len(リスト)

例えば、

```
arr = [1, 2, 3, 4, 5]
```

というリストarrがあるときに、len関数の引数にarrを指定した

```
print(len(arr))
```

を実行すると、要素数「5」が出力されます（**図5**）。

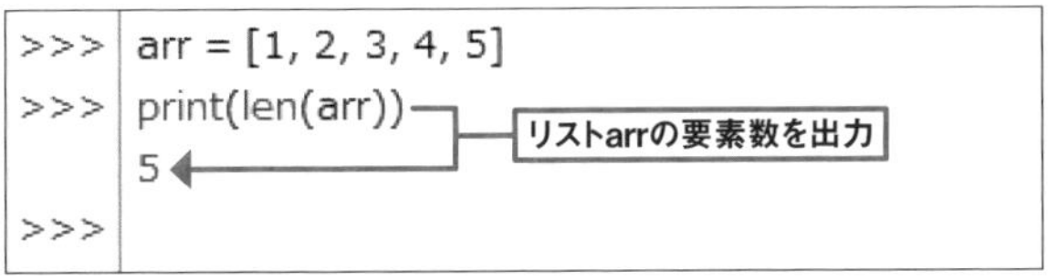

図5 len関数を使うとリストの要素数を取得できる。ここでは5つの要素を持つリストarrを引数に指定したので、「5」が取得できた

要素を並べ替えるsortメソッド

リストの要素を並べ替えるメソッドも、用意されています。

リストの要素を並べ替える

リスト.sort()

例えば、

```
arr = [3, 1, 5, 4, 2]
```

というリストarrがあるときに、

```
arr.sort()
```

を実行すると、要素を昇順に並べ替えられます。

```
print(arr)
```

で中身を出力すると、**図6**のようになります。

```
>>> arr = [3, 1, 5, 4, 2]
>>> arr.sort()
>>> print(arr)
[1, 2, 3, 4, 5]
>>>
```

昇順に並べ替えられた

図6 sortメソッドを使うと、リスト内の要素を並べ替えられる。引数に何も指定しないと昇順に並べ替えられる

降順で並べ替えたい場合には、

```
arr.sort(reverse=True)
```

のようにキーワード引数reverseにTrueを指定します。実行した結果を

```
print(arr)
```

で出力すると、**図7**のようになります。

```
>>> arr = [3, 1, 5, 4, 2]
>>> arr.sort()
>>> print(arr)
[1, 2, 3, 4, 5]
>>> arr.sort(reverse=True)
>>> print(arr)
[5, 4, 3, 2, 1]
>>>
```

降順に並べ替えられた

図7 sortメソッドの引数に「reverse＝True」を指定すると、リスト内の要素を降順で並べ替えられる

Memo

メソッドでキーワード引数を指定するときも、関数の場合（55ページ参照）と同様に、「＝」と指定する値をキーワードに続けて記述します。

並べ替えた新たなリストを作成するsorted関数

先ほど紹介したsortメソッドは、元のリストの順番を変更します。しかし、スクリプトの処理内容によっては、「元のリストを後からそのまま使いたい」という場合もあります。このようなときにはsorted関数を利用します。

元のリストを残したまま、並べ替えたリストを作成する

sorted(元のリスト)

```
arr = [3, 1, 5, 4, 2]
```

というリストarrがあるときに、sorted関数を使って

```
arr_new = sorted(arr)
```

を実行すると、新たなリストarr_newが作成され、なおかつ元のリストはそのまま残ります。新しいリストarr_newと元のリストarrをそれぞれprint関数で出力すると、**図8**のようになります。

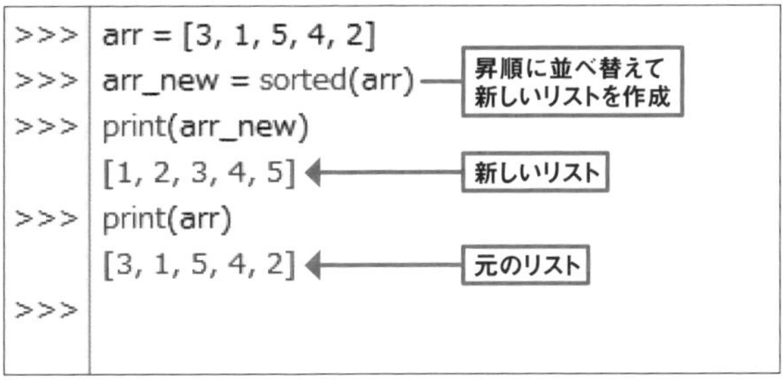

図8　sorted関数を使うと、元のリストを残したまま、新しいリストを作成できる。ここではsorted関数で並べ替えた結果を新たなリストarr_newに代入し、その中身と元のリストarrの中身をそれぞれprint関数で出力した

並べ替えを行った後に、元のデータをどうしたいかによって、柔軟に使い分けできるよう、sortメソッドとsorted関数が用意されています。sorted関数は、リストだけでなくほかのデータ構造でも使える場合があります。

「タプル」は変更できないリスト

Pythonには、リストによく似た「タプル」というデータ構造もあります。

タプルはリストに似ていますが、リストのようにappendメソッドで要素を追加したり、sortメソッドで並べ替えをしたりといった変更はできません。

リストを作成する際には角カッコを使いましたが、タプルは丸カッコで作成できます。

```python
tpl = (1, 2, 3, 4, 5)
```

Python

を実行すると、「1」から「5」までの整数を要素として含むタプルtplとなります。

この状態で

```python
for i in tpl:
    print(i)
```

を実行すると、リストと同様に「1」から「5」の整数が出力されます。

```
>>> tpl = (1, 2, 3, 4, 5)
>>> for i in tpl:
...     print(i)
...
...

1
2
3
4
5
>>> |
```

図A Shellウインドウで、1から5までの整数を要素に持つタプルtplを作成し、for文でその要素を順番に出力した例

タプルは、後から変更できないリストに似たデータ構造と考えてください。

実は、皆さんはすでにタプルを使ったコードを学習しています。第4章の81ページで学習した、in演算子の後ろに指定した「(59, 79, 99)」がタプルだったのです。この後も223ページと229ページで、タプルを使用したコードを紹介します。

第9章

標準ライブラリを使おう

この章で学ぶこと

- 標準ライブラリのモジュールを使用するにはインポートが必要
- 一部の関数のみをインポートすることや、モジュールに別名を指定することもできる
- 日付や時間を扱うにはdatetimeモジュールを使用する
- globモジュールを使うと、再帰処理を書くことなく、階層が異なるフォルダーに含まれるファイルのパスを取得できる

01 組み込み関数と標準ライブラリ

Python本体をインストールすると、一緒にインストールされるライブラリを「標準ライブラリ」と呼びます。標準ライブラリには、これまで本書で使用してきた組み込み関数とは別の関数も多数含まれています。

Memo
第1章の13ページでお伝えしたとおり「ライブラリ」とは、何らかのプログラムのコードを、再利用しやすい形にひとまとめにしたものです。本章で取り上げる「標準ライブラリ」が充実していることや、次章以降で解説する「外部ライブラリ」が豊富に存在していることが、Pythonの人気を支える要因の1つとなっています。

組み込み関数とは

標準ライブラリの学習を始める前に、組み込み関数について簡単にまとめておきます。

組み込み関数とは、Pythonに組み込まれている、特別の準備をすることなく使える関数です。これまで使用してきた、出力を行うprint関数、要素数を返すlen関数、データ型を変換するint関数やstr関数のように、多くのスクリプトで必要となる基本的な機能が、組み込み関数として提供されています。

バージョン3.11のPythonには70個ほどの組み込み関数が用意されています。その一部を抜粋すると右ページのとおりです。

Memo
すべての組み込み関数は、以下のURLで確認できます。
https://docs.python.org/ja/3/library/functions.html

●組み込み関数の例

組み込み関数	用途・機能
print関数	出力を行う
input関数	キーボードからの入力を受け付ける
len関数	要素数の取得
type関数	データ型の取得
dir関数	名前や属性のリストの取得
help関数	ヘルプを表示する
int関数	int型への変換
float関数	float型への変換
str関数	str型への変換
list関数	リストの作成
tuple関数	タプルの作成
dict関数	ディクショナリの作成
set関数	セットの作成
range関数	rangeオブジェクトの作成
enumerate関数	enumerateオブジェクトの作成
open関数	ファイルを開く
all関数	すべての要素が真のときにTrueを返す
any関数	いずれかの要素が真のときにTrueを返す
sorted関数	要素をソートする
reversed関数	要素を逆順にする
bin関数	2進文字列への変換
oct関数	8進文字列への変換
hex関数	16進文字列への変換

標準ライブラリに含まれるモジュール

組み込み関数のほかにも、Pythonに用意されている関数があります。組み込み関数のようにいきなり使うことはできず、使う前にちょっとした準備のコードを実行する必要のある関数です。これらの関数は、「モジュール」と呼ばれるまとまりごとに読み込むことで、利用できるようになります。

Memo

VBAでプロシージャなどをたくさん作成した場合、モジュールを分割して管理します。同様に、Pythonの標準ライブラリに含まれる多数の関数も、モジュールに分割して管理されています。Pythonの場合、モジュールの実体はファイルです。

標準ライブラリには、たくさんのモジュールが含まれており、その一部をリストアップすると次のとおりです。

モジュール	用途・機能
mathモジュール	数学計算
datetimeモジュール	日付や時間の計算を行う
decimalモジュール	小数演算を正確に行うために使用
osモジュール	OSに関連する処理
globモジュール	ファイルのパスを取得する
csvモジュール	CSVファイルの操作
reモジュール	正規表現を使った文字列処理
randomモジュール	疑似乱数の生成
pprintモジュール	整形して出力を行う

この後、標準ライブラリに含まれるいくつかのモジュールと、それらのモジュールを読み込むコードの書き方を解説します。

02 mathモジュールで平方根を求める

組み込み関数ではない、標準ライブラリに含まれる関数の基本的な使い方を見ていきましょう。ここでは、平方根を求める計算を例に取り上げます。

VBAの場合、Sqr関数の引数に数値を指定すると、その平方根を簡単に計算できます。

```
Debug.Print Sqr(9)
```
VBA

をイミディエイトウィンドウで実行すると、9の平方根「3」が出力されます（**図1**）。

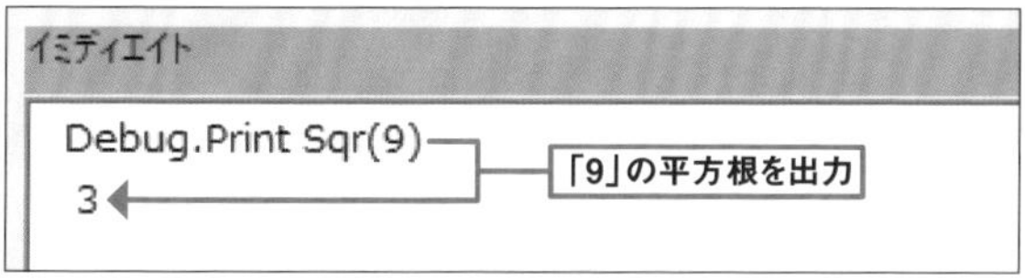

図1 VBAではSqr関数で簡単に平方根を求められる。引数に数値を指定するだけだ

Pythonで平方根を求めるsqrt関数をいきなり使うと…

Pythonにも、平方根を計算する関数があります。sqrt関数です。しかしこの関数は、組み込み関数ではないため、いきなりsqrt関数のコードを書いても、エラーが表示されてしまいます。IDLEのShellウインドウで試してみましょう。「print(sqrt(9))」のようにコードを入力して実行すると、「NameError: name 'sqrt' is not defined」（識別子 'sqrt' は定義されていない）という識別子エラーが発生してしまいます（次ページ**図2**）。

Memo

「sqrt」は、平方根を意味する「square root」の省略形です。

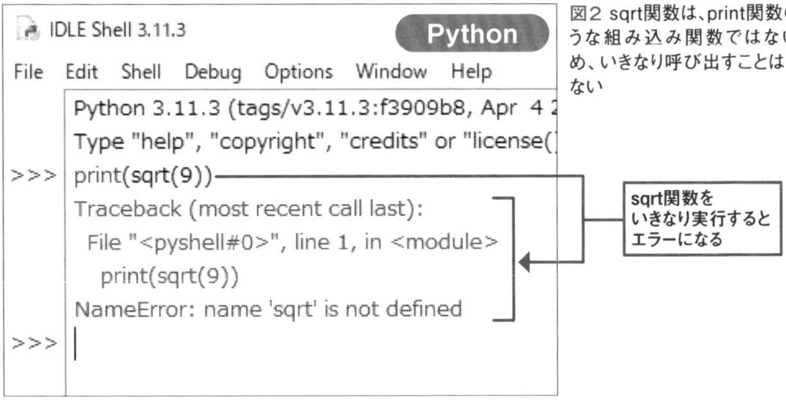

図2 sqrt関数は、print関数のような組み込み関数ではないため、いきなり呼び出すことはできない

平方根を求めるsqrt関数を使うにはimportが必要

sqrt関数は、標準ライブラリのmathモジュールに含まれています。組み込み関数ではない、標準ライブラリに含まれる関数を利用するには、使えるようにするための準備のコードを事前に実行する必要があります。

具体的には、次のように、「import」というキーワードに続けてモジュール名を書いたコードを実行します。

モジュールを利用するためのimport文

```
import モジュール名
```

「import」は「輸入する、運び込む」といった意味です。このコードで指定されたモジュールがインポートされ（読み込まれ）、使えるようになります。このimportというキーワードを含むコードが、標準ライブラリや次の第10章で学習する外部ライブラリを使う場合には必須です。

平方根を求めるsqrt関数は、標準ライブラリのmathモジュールに含まれていますから、

```
import math
```

というコードを、まず実行します（**図3**）。

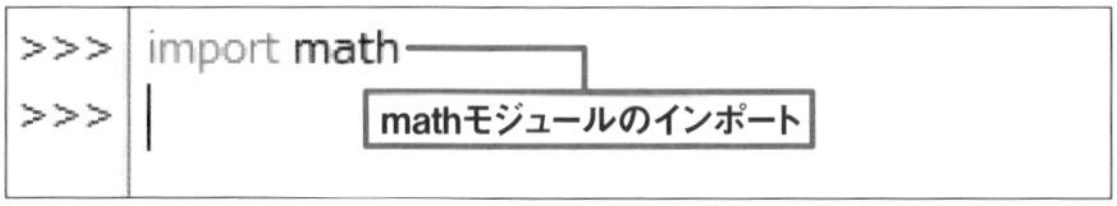

図3 「import」の後ろにモジュール名を指定することで、そのモジュールが読み込まれる

その後、mathモジュールに含まれている、平方根を求めるsqrt関数を呼び出すには、次のような書式で関数を指定します。

モジュールに含まれる関数を使用する

モジュール名.関数名()

モジュール名の後ろにドットを付けて、関数名を入力します。関数がどのモジュールに含まれるものなのか、モジュール名を付けて明示するわけです。sqrt関数であれば、

```
math.sqrt(9)
```

のようにコードを入力します。これをprint関数の引数に指定して、

```
print(math.sqrt(9))
```

を実行すれば、math.sqrt関数の引数に指定した「9」の平方根「3.0」が出力されます（**図4**）。

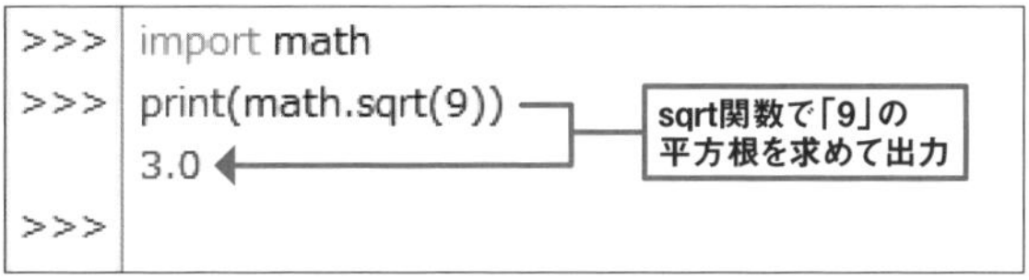

図4 「math.sqrt(9)」と書くことで、引数に指定した「9」の平方根を計算できる。これをprint関数の引数に指定して実行すると、「3.0」と出力される

モジュールから特定の関数をimportする

頻繁にsqrt関数を使う場合、毎回「math.sqrt」とコードを書くのは面倒です。1行当たりの文字数が増えるため、可読性が低下する可能性もあります。

その対策として、モジュールから必要な関数だけをインポートする方法もありま

す。それには、「from」というキーワードに続けてモジュール名を書き、さらにキーワード「import」と関数名を書きます。

関数を個別にインポートする

```
from モジュール名 import 関数名
```

mathモジュールからsqrt関数だけをインポートするには、

```
from math import sqrt
```

と書きます。英語のように読めば、「math(モジュール)から、sqrt(関数)をインポートしなさい」といった意味を読み取れます。

上記のコードを実行してsqrt関数をインポートした後なら、

```
print(sqrt(9))
```

のようにsqrt関数の名前を書くだけで、関数を実行できるようになります。いちいちモジュール名を付ける必要はなくなります(**図5**)。

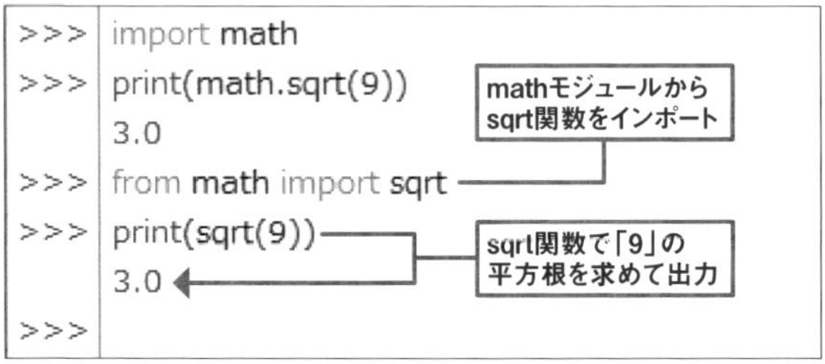

図5 「from math import sqrt」というimport文を実行すると、mathモジュールからsqrt関数だけをインポートできる。この場合、「sqrt(9)」のように関数名を書くだけで使用できる

Pythonのほうが関数群の全体像をつかみやすい

VBAの関数は、すべてがグローバルメンバーになっているため、いきなり使うことができます。いきなり使えるVBAの関数は便利なように見えますが、実はデメリットもあります。VBAにどのような関数が用意されているのかといった全体像を、把握しづらくなっているのです。

VBAの関数がもしも全部で30個程度であったならば、すべてがいきなり使える状態でも大きな問題はなかったでしょう。しかし実際には、もっとさまざまな関数が、いきなり使えてしまいます。Sqr関数のような数学関連の関数も、Date関数のような日付関連の関数も、いきなり使えてしまいます。そのため、用意されている関数でどのような処理が可能なのか、何をFunctionプロシージャなどで自作しなければならないのか、全体像を理解しづらくなっています。

それに対しPythonでは、いきなり使える組み込み関数の数は限られており、よく使われる関数は、標準ライブラリのモジュールとして提供されています。必要なものを必要なときにのみインポートする形なので、全体像を理解しやすくなっています。もちろんメモリーの無駄遣いも防止できます。

Memo

いきなり関数名を書き始めることの多いVBAの関数ですが、実はモジュール名から書くことも可能です。本節の冒頭で紹介した、平方根を求めるSqr関数であれば、Mathモジュールに含まれています。そのため、以下のような書き方でも実行が可能です。

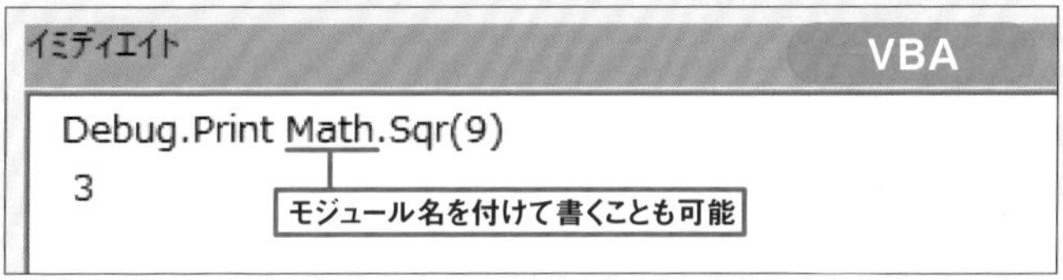

03 datetimeモジュールで今日の日付を取得する

Pythonの標準ライブラリに含まれる、ほかの関数も見てみましょう。例えば「今日の日付」を取得する関数は、日付の計算などで頻繁に使用するものです。

VBAの場合、Date関数を使って今日の日付を取得できます。イミディエイトウィンドウで今日の日付を出力するには、

```
Debug.Print Date
```

VBA

と入力して「Enter」キーを押すだけです（**図1**）。

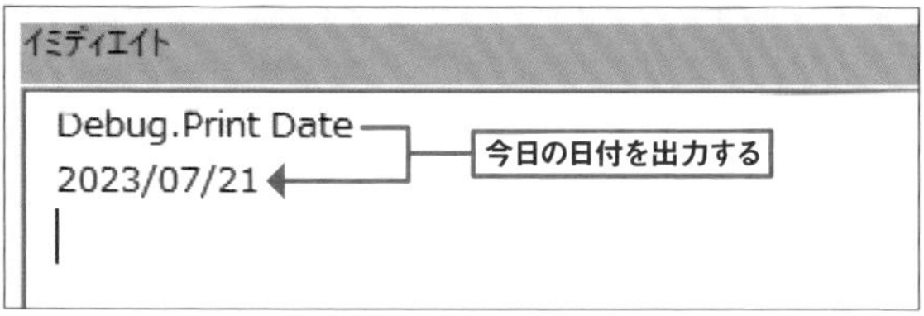

図1　VBAではDate関数で今日の日付を取得できる。2023年7月21日であれば、図のように出力される

Pythonで今日の日付を取得するには

Pythonの場合、今日の日付を取得する関数はdatetimeモジュールに含まれています。ですから事前に

```
import datetime
```

Python

を実行してdatetimeモジュールをインポートする必要があります。

Pythonで今日の日付を取得する関数はtoday関数ですが、使用する際は注意が必要です。today関数は、前節で見たsqrt関数のように、モジュール名とドットに続けて関数名を書くだけでは使えません。

datetimeモジュールは、先に見たmathモジュールよりも階層が深くなってい

るためです。今日の日付を取得するtoday関数を使うには、

```
datetime.date.today()
```

のように書く必要があります。datetimeモジュールは、名前のとおり日付と時間に関する関数などを含むモジュールで、この中に日付を扱うdateオブジェクトや、時間を扱うtimeオブジェクトなどが定義されています。そのため、dateオブジェクトに含まれるtoday関数を使うには、モジュール名の次にdateオブジェクトであることを明示して、最後にtoday関数を指定する必要があります。today関数に引数は不要ですが、丸カッコを後ろに付けるのを忘れないようにしましょう。

Shellウインドウで

```
print(datetime.date.today())
```

を実行すれば、今日の日付が出力されます(**図2**)。

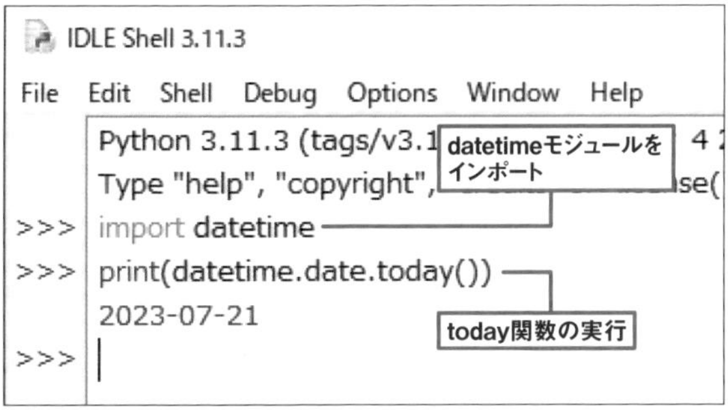

図2 today関数を使うには、事前にdatetimeモジュールをインポートする。モジュールの階層が深いので、「datetime.date.today()」のように階層をたどる形でコードを書く必要がある

モジュールに別名を付けてimportする

datetimeのように長い名前のモジュール名を、「datetime.date.today()」のように何度も書くのは、可読性の低下にもつながります。このようなときは、モジュールに別名を付けてインポートすることも可能です。

具体的には、

```
import datetime as dt
```

のように書きます。「import モジュール名」の後ろに「as ○○」のように記述して別名を指定するわけです。これで「datetimeモジュールをdtという別名でインポートしなさい」という意味になります。

モジュールに別名を付けてインポートする

```
import モジュール名 as 別名
```

別名に「dt」を指定してインポートした場合には

```
dt.date.today()
```

のような書き方で、今日の日付を取得できるようになります（**図3**）。

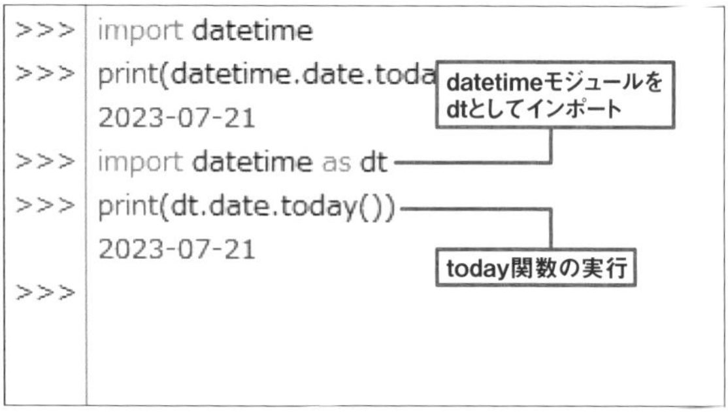

図3 datetimeモジュールを「dt」という別名でインポートすると、モジュール名部分を「dt」で代用し「dt.date.today()」のように書くことができる

Memo

別名は自由に指定することも可能ですが、有名なモジュールについては、よく使われる別名があります。特別の理由がなければ慣習に従った別名を指定しましょう。この後本書では、外部ライブラリpandasの別名「pd」（185ページ参照）や、xlwingsの別名「xw」（193ページ参照）を指定する例を学習します。

04 globモジュールでパスを再帰的に取得する

本書の冒頭3ページで、以下のようなコードを紹介しました。

Python

```
import glob
for path in glob.glob(r'C:¥temp¥**', recursive=True):
    print(path)
```

このコードも、標準ライブラリに含まれるモジュールを使ったコードです。この章の最後に、globモジュールを使った再帰処理について解説します。

Memo
「再帰」とは、プログラムの中で、ある処理が自分自身を呼び出しながら、繰り返し処理を実現する手法のことです。

glob関数でパスをリストとして取得できる

そもそも、Windowsのみを使ってきた方の場合、「glob」という単語になじみがないかもしれません。もともとglobとは、Unixでワイルドカードを使ってファイル名を指定し、ファイルの一覧を取得するためのコマンドです。このglobと同様の処理を行うためのモジュールが、Pythonの標準ライブラリに含まれるglobモジュールです。

globモジュールに含まれるglob関数を使うと、引数に指定された条件に合致するファイルのパスを、リストとして取得できます。Shellウィンドウで試してみましょう。

まず、ここまで学習してきたように、globモジュールをimport文でインポートします。

```
import glob
```

そして、Cドライブ直下にある「temp」フォルダーに、どのようなファイルやフォルダーが存在するかを調べるには、glob.glob関数を以下の形で呼び出します。

```
glob.glob(r'C:¥temp¥*')
```

これをprint関数の引数に指定して実行すると、**図1**のようにリストの形でフルパスが出力されます。

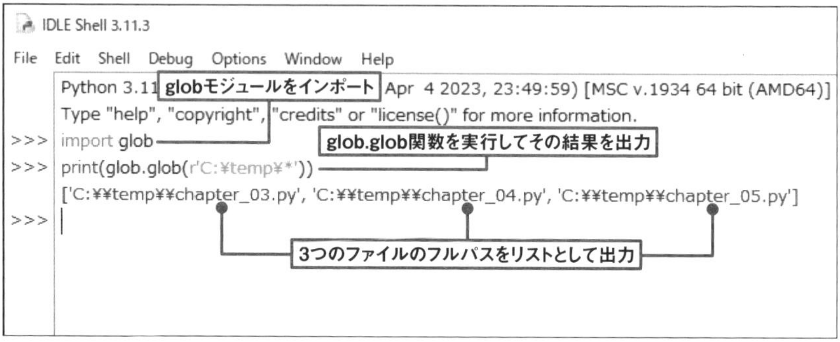

図1 glob.glob関数の引数にCドライブ直下のtempフォルダーを指定し取得したファイルのリストを、print関数で出力。この例では「chapter_03.py」「chapter_04.py」「chapter_05.py」という3つのファイルが存在したので、これら3つのフルパスがリストとして出力された

Memo

上記の結果はリストをそのまま出力しているため、エスケープシーケンス（49ページ参照）によって「¥」が2つ並んだ状態になっていますが、for文で個々のパスを取得すれば「¥」は、1つになります。

raw文字列による指定

上記のコードで、glob.glob関数の引数に指定した、

```
r'C:¥temp¥*'
```

raw文字列を指定する「r」

は、文字列をくくるクオーテーションマークの前に、「r」または「R」を書く、「raw文

字列」と呼ばれる指定方法です。raw文字列を使うと、フォルダーの階層区切りとしての「¥」を、エスケープシーケンスを使わずに指定できます。「raw」とは「生の」といった意味の英単語です。

第3章の49ページで解説したエスケープシーケンスは、出力結果で見かけることもあるため理解しておかなければなりませんが、コードを書く際にはraw文字列を使うほうが簡単です。

glob関数では再帰処理を書く必要がない

指定したフォルダーの中にあるファイルとフォルダーのフルパスを取得するだけならば、VBAでもそれほど難しくはありません。しかし、フォルダー以下にたくさんのフォルダーが、さまざまな階層で存在するときに、すべてのファイルのフルパスを取得しようとすると、VBAでは再帰処理を含むコードを書かなければなりません。

そのような場合にもPythonでは、globモジュールのglob関数を使うことで、以下のような簡単なコードで済ませられます。

```
glob.glob(r'C:¥temp¥**', recursive=True)
```

第1引数の中で、すべてのフォルダーとファイルを対象とするためのワイルドカード「**」を使い、キーワード引数「recursive」にTrueを指定すると、指定したフォルダー以下を再帰的に処理して、すべてのファイルやフォルダーのパスをリストとして取得できます。「recursive」は、「再帰的」といった意味の英単語です。

これが、171ページで示したスクリプトのfor文で利用していたコードです。

```
for path in glob.glob(r'C:¥temp¥**', recursive=True):
    print(path)
```

tempフォルダー下のすべてのファイル、フォルダーを再帰的に処理してパスをリストとして取得し、そのリスト内にあるすべての要素をfor文で順番に取得・出力しています（次ページ**図2**）。

```
>>> import glob
>>> for path in glob.glob(r'C:¥temp¥**', recursive=True):
...     print(path)
...
...
C:¥temp¥
C:¥temp¥chapter_03.py
C:¥temp¥chapter_04.py
C:¥temp¥chapter_05.py
C:¥temp¥work
C:¥temp¥work¥sample_01.py
C:¥temp¥work¥sample_02.py
>>>
```

glob関数で再帰的にフルパスを取得するfor文を実行すると…

リストの要素（フルパス）が順番に出力される

図2 インポート済みのglobモジュールのglob関数を使って、tempフォルダー下にある全ファイルのフルパスのリストを取得。そのリストの要素を、for文で順番に出力した。サブフォルダーも対象になっている

ワイルドカードを使った指定方法によって、例えば特定の拡張子のファイルに絞って一覧を取得するといったことも、簡単にできます。

大量のフォルダー・ファイルが存在する場合

glob関数を使った再帰処理は、引数で指定したフォルダーやファイルをリストとして取得します。そのため、たくさんのフォルダーやファイルが存在する場合、メモリーを大量に消費してしまう欠点があります。そのような懸念がある場合には、iglob関数を使いましょう。

先ほどのglob.glob関数を使ったfor文を以下のようなコードにします。

```
for path in glob.iglob(r'C:¥temp¥**', recursive=True):
    print(path)
```

メモリー消費を抑えられるiglob関数

これで、メモリーの消費を抑制しつつ、Cドライブのtempフォルダー下を再帰的に処理して、パスを出力できます。

Memo

glob関数とiglob関数はよく似た関数ですが、glob関数は戻り値がリストであるのに対し、iglob関数は「ジェネレータ」というメモリー効率の良いオブジェクトが戻り値である点が異なります。

第10章

外部ライブラリを使ってみよう

この章で学ぶこと

- 外部ライブラリのインストールにはpip などのパッケージマネージャを使う
- pipはコマンドプロンプトなどで利用する
- 外部ライブラリを利用するにはインポートが必須
- pandasを使ってExcelファイルを読み込むことができる

01 外部ライブラリは別途インストールが必要

Pythonには、第9章で学習した標準ライブラリのほかにも、たくさんのライブラリが存在します。標準ライブラリとは異なり、Pythonとは別にインストールする必要のあるライブラリです。

そのような標準ライブラリではないライブラリを「外部ライブラリ」「サードパーティ製ライブラリ」などと呼びます（**図1**）。

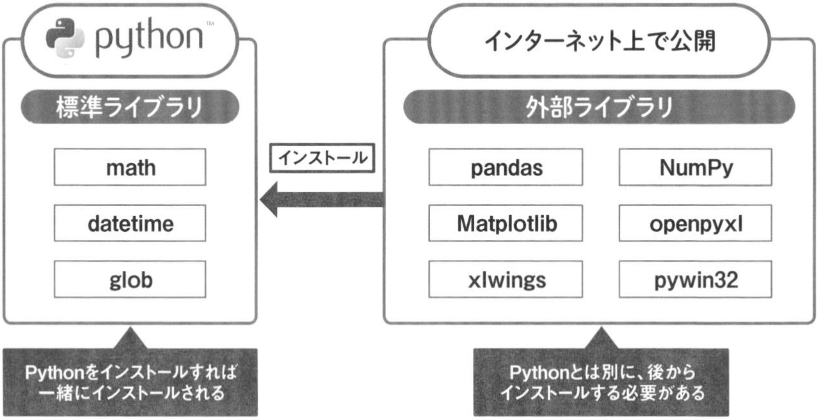

図1　Pythonは、さまざまな用途に使える外部ライブラリが豊富なことも人気の理由だ。標準でインストールされるライブラリとは別に、必要に応じてインストールして利用できる

Pythonには大量の外部ライブラリがあります。Excelに関わりのあるライブラリの一部を抜粋すると以下のとおりです。

●pandas（パンダス）

データ分析用ライブラリ。Excel、CSVなどのファイルやデータベースからデータを読み込み、分析・可視化ができる。最近のPython人気を支える重要なライブラリの1つで、内部では後述するNumPyやMatplotlibなどを使用。

●NumPy（ナムパイ、ナンパイ）

高速な計算処理を得意とするライブラリ。Pythonで数値計算を高速かつ効率的に行うのに貢献。Pythonの人気を支える根幹的なライブラリ。

●Matplotlib（マットプロットリブ）

グラフ描画を行うためのライブラリ。簡単なグラフ作成であれば前述のpandasが便利だが、高度なグラフ作成を行う場合はMatplotlibを直接使う必要がある。

●openpyxl（オープンパイエクセル）

拡張子が「.xlsx」などのOffice Open XML形式のファイルを読み書きするためのライブラリ。前述のpandasで、「.xlsx」ファイルを読み書きする場合にも使われる。

●xlwings（エクセルウィングス）

Excel自体を操作するライブラリ。内部で後述のpywin32を利用。本書の第11章で基本的な使い方を解説。

●pywin32（パイウィン32）

Windows APIをPythonから利用するためのライブラリ。

外部ライブラリのインストールはパッケージマネージャで

インストール可能な形にまとめたライブラリを、「パッケージ」と呼ぶこともあります。パッケージをインストールしたりアンインストールしたりするツールを、「パッケージマネージャ」といいます。

Pythonの外部ライブラリは、パッケージマネージャを使って、インターネットを経由してインストールします。パッケージマネージャは複数存在しますが、Pythonを公式サイトからインストールした場合は「pip（ピップ）」を使用します。

pipを使った実際のインストール操作は、次の節で確認しましょう。

Memo

「pip」は、「Package Installer for Python」の略です。

02 パッケージマネージャpipの基本

パッケージマネージャ「pip」を使ってみましょう。ここでは、pipの基本的な使い方を理解してください。

コマンドプロンプトを起動しよう

pipは、Windowsの「コマンドプロンプト」や「PowerShell」で使用するツールです。本書ではコマンドプロンプトを使用します。

パソコンがインターネットに接続されている状態で、まずはコマンドプロンプトを起動しましょう。「Windows」キーを押しながら「R」キーを押すと、「ファイル名を指定して実行」ダイアログボックスが開きます（**図1**）。

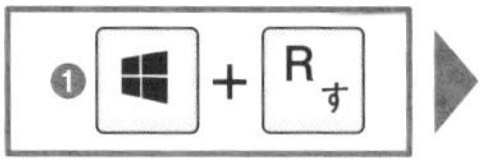

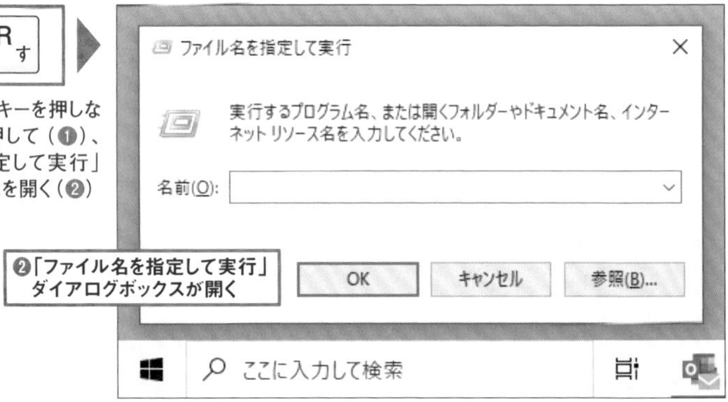

図1 「Windows」キーを押しながら「R」キーを押して（❶）、「ファイル名を指定して実行」ダイアログボックスを開く（❷）

Memo

タスクバーの検索ボックスで「コマンド」と入力して検索すると、「コマンドプロンプト」が候補として表示されるので、それを選ぶことでもコマンドプロンプトを起動できます。

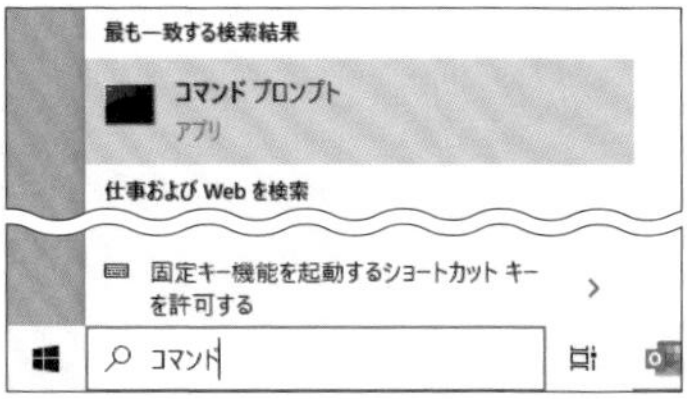

「ファイル名を指定して実行」ダイアログボックスの「名前」欄に、IME(日本語入力)がオフの状態で「cmd」と入力し、「Enter」キーか「OK」ボタンを押すと、コマンドプロンプトを起動できます(**図2**)。

図2 「名前」欄に「cmd」と半角文字で入力して、「OK」ボタンを押すか「Enter」キーを押す(❶)。すると、コマンドプロンプトの黒いウインドウが開く(❷)

pipを使ってみよう

コマンドプロンプトを起動できたら、pipを使ってみましょう。pipは、コマンドプロンプトなどで「pip 」に続けて、pipコマンドを入力して実行します。

pipコマンドを実行する

```
pip pipコマンド [オプション]
```

pipコマンドには、次ページの表のようなものがあります。

pipコマンド	用途・目的
list	インストール済みパッケージの一覧表示
install	パッケージのインストール
uninstall	パッケージのアンインストール
show	指定したインストール済みパッケージの情報表示

外部ライブラリのインストールを行う前に、現時点でどのようなライブラリがインストールされているかを、pipで確認してみましょう。

起動したコマンドプロンプトに、IMEがオフの状態で、

```
pip list
```

と入力して「Enter」キーを押すと、**図3**のようにインストールされているPythonの外部ライブラリが一覧表示されます。

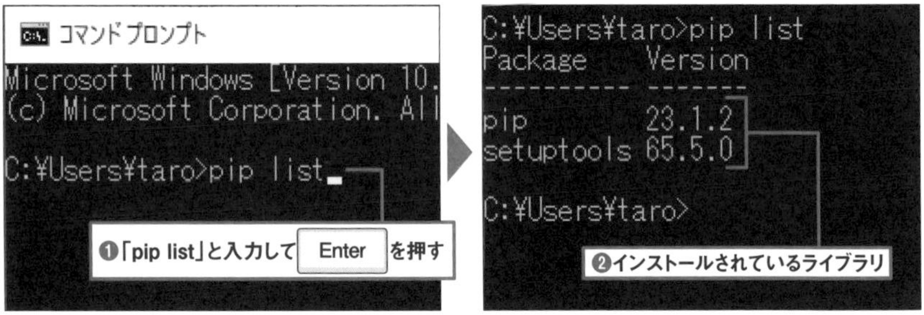

図3 コマンドプロンプトで「pip list」というコマンドを入力して実行すると（❶）、インストールされているライブラリの一覧を表示できる（❷）

「pip list」の出力結果から、Pythonを公式サイトからインストールした直後の状態では、「pip」と「setuptools」という2つの外部ライブラリがインストールされていることがわかります。

「WARNING」が表示された場合は?

pipコマンドを実行すると、下図のように「WARNING」(警告)と表示される場合があります。

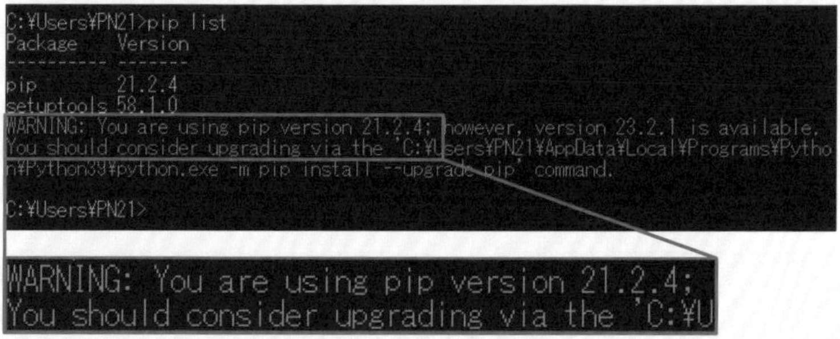

「古いバージョンのpipを使っているけれど、新しいバージョンも出ていますからアップグレードしたらどうですか」とアナウンスしてくれています。最新のpipとのバージョンにあまり差がなければ、「notice」(注意)と表示される場合もあります。

アップグレードするためのコマンドも表示されているので、そのとおりに

```
python.exe -m pip install --upgrade pip
```

を実行すると、pipをアップグレードできます。下図のように表示されたら完了です。

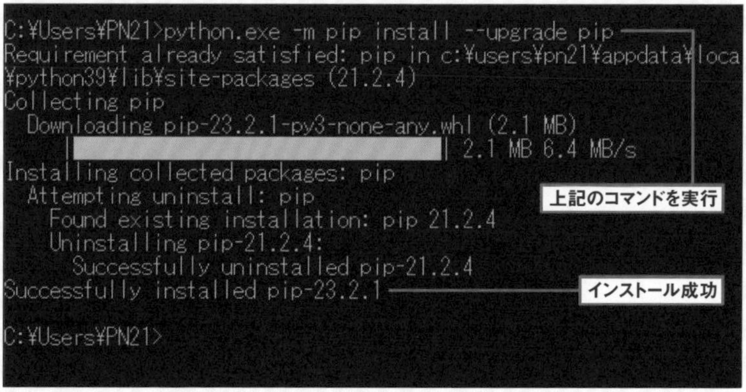

pipを使って「pandas」をインストールしよう

続いて、外部ライブラリ「pandas(パンダス)」を、pipを使ってインストールしてみましょう。

IMEがオフの状態で、

```
pip install pandas
```

と入力して「Enter」キーを押すと、pandasのインストールが始まります。完了すると**図4**のような表示になります。

図4 「pip install pandas」と入力して「Enter」キーを押すと、pandasがインストールされる

このようにpipを使ってパッケージをインストールする際には、

外部ライブラリをインストールする

```
pip install パッケージ名
```

というコマンドを、コマンドプロンプトなどで実行します。

pandasがインストールされたことを確認してみましょう。pandasのインストール前に実行した、インストール済みのライブラリを表示するコマンド、

```
pip list
```

を実行すると、**図5**のように出力されます。

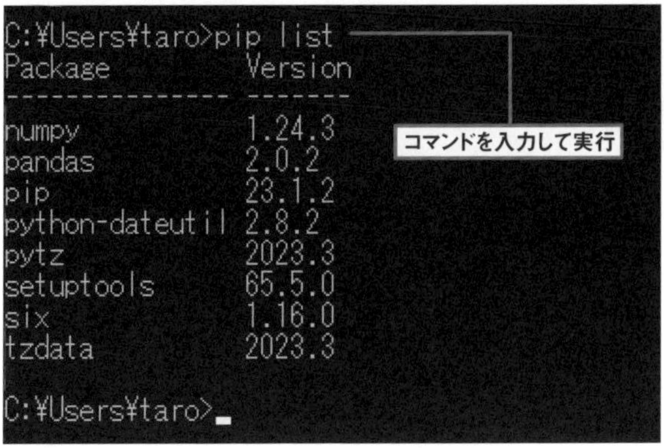

図5 あらためて「pip list」というコマンドを実行すると、インストールされているライブラリとして、「pandas」ほかいくつかのライブラリが一覧表示される。「numpy」など5つのライブラリがpandasと一緒にインストールされたわけだ

pandasのインストール前から存在していた2つのライブラリのほかに、numpy、pandas、python-dateutil、pytz、six、tzdataといったライブラリが増えています。

今回インストールを行ったのはpandasですが、pandasが内部で利用しているほかの外部ライブラリも、一緒にインストールされたわけです。

「openpyxl」もインストールしよう

次の節では、pandasを使ってExcelを少しだけ操作します。その際に、「openpyxl（オープンパイエクセル）」というライブラリも必要になりますから、openpyxlも続けてインストールしましょう。

```
pip install openpyxl
```

と入力して「Enter」キーを押すと、openpyxlのインストールが始まり、完了すると次ページ**図6**のように表示されます。

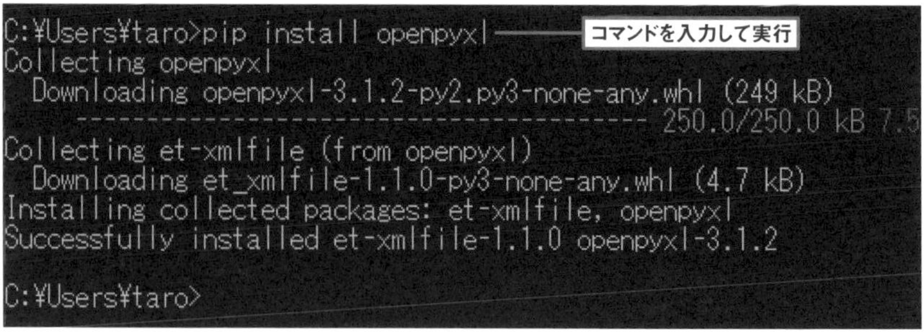

図6 「pip install openpyxl」を実行すると、openpyxlがインストールされ、このように表示される

先ほどと同様に、

pip list

と入力して「Enter」キーを押し、インストールできているかどうか確認してみましょう(**図7**)。

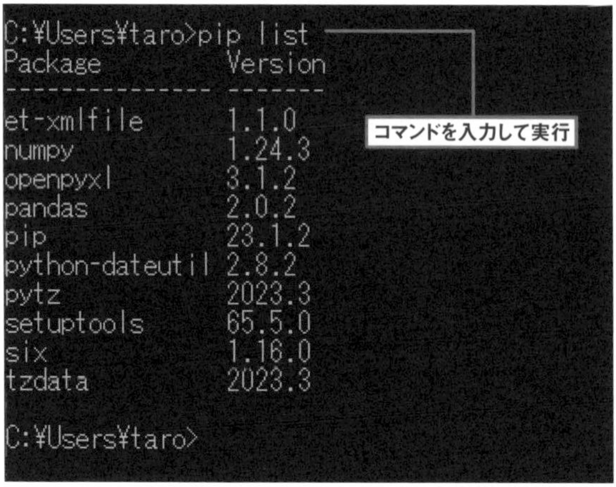

図7 あらためて「pip list」を実行すると、インストールされているライブラリとして、「et-xmlfile」と「openpyxl」が追加されていることがわかる

新たに2つのライブラリ「et-xmlfile」と「openpyxl」が追加されていることが確認できます。openpyxlは、内部でet-xmlfileを利用しているため、併せてインストールが行われたのです。インストールできたことを確認できたら、ウインドウの右上隅の「×」ボタンを押して、コマンドプロンプトを閉じてください。

03 pandasを使ってみよう

pandasと、pandasが内部で利用するopenpyxlをインストールしたところで、IDLEのShellウインドウを使ってpandasを使ったコードを少しだけ実行して、外部ライブラリを使う操作を体験しましょう。

pandasをimportする

外部ライブラリを使う場合も、第9章で学習した標準ライブラリのモジュールと同様に、インポートが必要です。キーワード「import」に続けてモジュール名と別名を指定するコードを

```
import pandas as pd
```

Python

のように入力･実行してください(**図1**)。pandasは、別名に「pd」を指定するのが一般的で、上記の形でインポートしておけば、以後のコードは「pd.」に続けて関数名などを書くことができます。

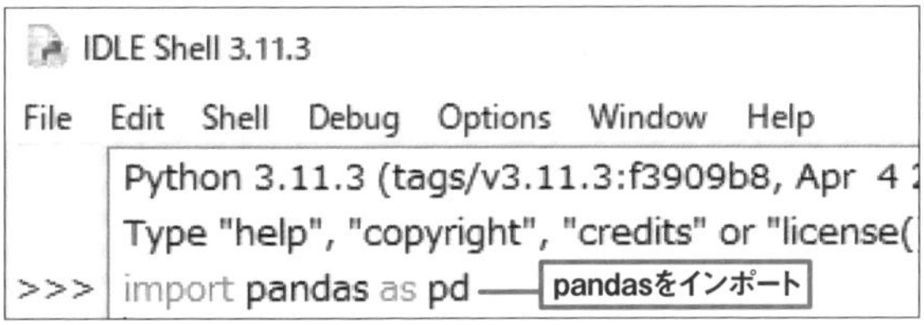

図1 pandasを利用する際は、上記のコードでインポートする必要がある。pdという別名を指定してインポートするのが一般的だ

もちろん、別名を指定せずに、

```
import pandas
```

とだけ書いてインポートすることも可能です。その場合は、以後のコードは「pandas.」に続けて書く必要があります。

Memo

pandasがインストールされていないときにpandasのimport文を実行すると、エラー「ModuleNotFoundError: No module named 'pandas'」が発生します。その場合、182ページを参考にしてpandasをインストールしてください。

pandas.ExcelFile関数でブックを読み込む

続いて、Cドライブの直下にある「temp」フォルダーに、テスト用のExcelファイル「sample.xlsx」を用意しておいてから、以下のコードを実行してください。

```
bk = pd.ExcelFile(r'C:¥temp¥sample.xlsx')
```

pandasのExcelFile関数を使って引数に指定されたExcelファイルを読み込み、戻り値のExcelFileオブジェクトを変数bkへ代入するコードです。

Memo

openpyxlがインストールされていないときには、エラー「Import Error: Missingoptional dependency 'openpyxl'.」が発生します。その場合、183ページを参考にしてopenpyxlをインストールしてください。

イメージ的には、Excel VBAのWorkbooks.Openメソッドに近い処理ですが、Workbooks.OpenメソッドとpandasのExcelFile関数には、大きな違いがあります。それは、ExcelFile関数を実行しても、パソコン上にExcelが表示されることはないという点です。引数に指定したExcelファイルが、メモリー上に展開されるだけで、パソコンの画面上では何も行われていないかのように見えます（**図2**）。

図2 Cドライブの「temp」フォルダーにある「sample.xlsx」を読み込み、変数bkに代入する。画面上にExcelは表示されないが、メモリー上に展開されている

ExcelFile.sheet_names属性で全シート名を取得する

pandasのExcelFileオブジェクトに用意されているsheet_names属性を使うと、Excelブックの全シート名をリストとして取得できます。

変数bkに代入されているsample.xlsxに、Sheet1、Sheet2、Sheet3という3つのシートが存在するときに、

```
print(bk.sheet_names)
```

を実行すると、

```
['Sheet1', 'Sheet2', 'Sheet3']
```

のように出力されます。シート名が、角カッコでくくられて出力されていることから、リストであることがわかります（**図3**）。

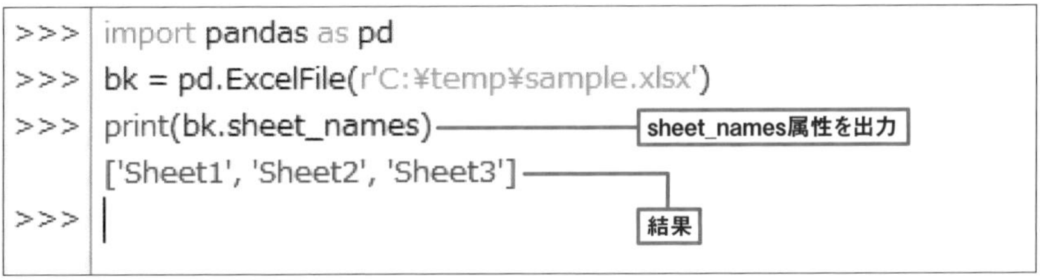

図3　ExcelFileオブジェクトのsheet_names属性をprint関数で出力すると、すべてのシート名が、リストとして取得できていることがわかる

Excelでマクロを作っているときに、シート名を配列に代入したいと感じることがあります。その場合、Excel VBAではループ処理を書く必要があります。

それに対してPythonのpandasでは、このように簡単なコードで、VBAの配列に相当するリストを取得できます。このように外部ライブラリを使うことで、コードをシンプルに書けるのが、Pythonの利点の1つです。

pandasはExcelよりも大量のデータを処理できる

第10章ではpandasを使って、Excelブックに含まれるシート名をリストとして取得する操作のみを行いました。pandasが他にどのような機能を持つのかを、もう少しお伝えしておきましょう。

pandasを使うと、次のような処理を行うことができます。

- **合計・平均・最大値・最小値などの算出**
- **データの並び替えやフィルタリング**
- **ピボットテーブルの作成**
- **さまざまなグラフの作成**
- **上記のようなデータ分析を行うための元データの取得**

これらはExcelでも可能な処理であり、データの分析という観点からすると、Excelとpandasはライバル関係にあるともいえます。

Excelでも可能な処理をなぜpandasで行うのか、疑問に感じる方がいらっしゃるかもしれません。理由の1つとして、処理可能なデータ量の違いが挙げられます。

パソコンのスペックにも依存しますが、Excelでは10万件を超えるデータ量の場合、現実的には処理するのが厳しくなってきます。それに対しpandasであれば、Excelでは物理的に不可能な104万8576件を超えるデータも処理可能です。pandasはすべてのデータをパソコン上に表示することは基本的になく、データをメモリー上に展開して処理するためです。また、pandasやpandasが内部で利用しているNumPyが、メモリー効率をかなり考慮して実装されていることも、大量データを扱いやすくするのに貢献しています。

Excelを使って大量データを扱う処理を行っていて、何らかの処理が終わるための待ち時間が長くなっている場合、pandasを使った処理に変更できないか、検討してみることをお勧めします。

第11章

PythonでExcelを操作しよう

この章で学ぶこと

- 外部ライブラリ「xlwings」でExcel自体を操作できる
- xlwingsのオブジェクトモデルはExcel VBAと似ている
- xlwingsを使ったブック・ワークシート・セル操作の基本
- Excel VBAよりシンプルに書けるPythonスクリプトの例

01 Excelに関連する外部ライブラリ

Pythonの利点の1つは、外部ライブラリが豊富であることです。Excelに関連する外部ライブラリも、世界中で多くの開発者が作成し、公開してくれています。Excel関連のライブラリは、

- **Excelで作られたファイルを操作するライブラリ**
- **Excel自体を操作するライブラリ**

の2つに大きく分類できます。

Excelで作られたファイルを操作するライブラリ

Excelで作られたファイルを操作するライブラリとして有名なのが、第10章の183ページでインストールした「openpyxl（オープンパイエクセル）」です。Pythonを使ってExcelに関連する業務を効率化しよう、といったテーマの書籍でよく紹介されています。

Excelで作られたファイルを操作するライブラリは、Excelがインストールされていないパソコンでも使用できるのが特長です。Excelを使わずに処理するため、複数のxlsxファイルを操作するような処理については、Excel VBAより高速になるケースが少なくありません。

ただし、Excel VBAで可能なすべての処理がこのタイプのライブラリで可能、というわけではありません。特に、Excel VBAを使いこなしている方の場合、openpyxlでできることの少なさにガッカリするケースが少なくないと筆者は感じています。

Memo

最近のExcelで作られるxlsxファイルの実体は、zip圧縮されたxml形式のテキストファイルなどです。openpyxlは、このテキストファイルを操作するライブラリであるため、Excelがインストールされていないパソコンでも使用できます。

openpyxlでは不可能なことや不具合

openpyxlでは不可能な処理や不具合をお伝えしておきます。

Excelの設定を変更するような処理は、openpyxlではできません。Excel VBAの、Applicationオブジェクト自体に用意されているメソッドやプロパティは、多くの場合アプリケーションとしてのExcel自体を操作するものです。そのような処理は、openpyxlではできないと考えてください。

ワークシートを別のブックにコピーすることも不可能です。

図形関連の機能は実装されていないため、図形の含まれるブックをopenpyxlで読み込んで保存するだけで図形は消えてしまいます。

セルの表示形式を、正しく取得できない不具合も存在します。

Excel自体を操作するライブラリ

Excel自体を操作するライブラリの中で、無償版でもかなり使えるのが「xlwings(エクセルウィングス)」です。Excelで作られたファイルではなく、Excelそのものを操作できる点が、openpyxlなどとの大きな違いです。Excel自体を操作しますから、Excelのインストールされていないパソコンで使うことはできません。

外部ライブラリxlwingsを使ったスクリプトを実行するとExcelが起動し、スクリプトに書かれた指示に従ってExcelが動作します。

Excel VBAと似た書き方ができるように実装されているため、Excel VBAを理解している方にとっては、openpyxlより習得しやすいでしょう。逆にExcel VBAをまったくご存じない場合、難易度が高いかもしれません。

Memo

Excelに特化したライブラリではありませんが、Windowsアプリケーション全般を操作できるライブラリ「pywin32」を使って、VBAとよく似たコードによってExcelを操作することも可能です。xlwingsも、内部ではpywin32を利用しています。

02 xlwingsをインストールして使ってみよう

Excel自体を操作するライブラリxlwingsを使ってみましょう。

xlwingsのインストール

まずは、xlwingsのインストールです。第10章で、pandasやopenpyxlをインストールしたときの操作を思い出しながらやってみましょう。

外部ライブラリのインストールには、コマンドプロンプトを使うことを思い出してください（178ページ参照）。「Windows」キーを押しながら「R」キーを押して「ファイル名を指定して実行」ダイアログボックスを表示したら、「名前」欄に、IMEがオフの状態で「cmd」と入力し、「Enter」キーを押します。

起動したコマンドプロンプトに、IMEがオフのまま、

```
pip install xlwings
```

と入力して「Enter」キーを押すと、xlwingsのインストールが始まります（**図1**）。

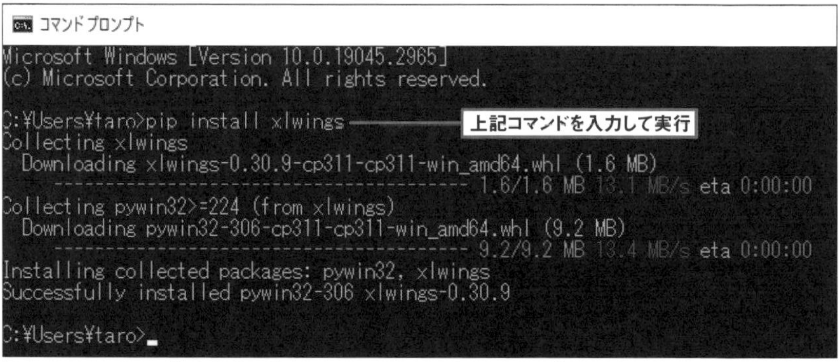

図1　コマンドプロンプトを起動し、「pip install xlwings」と入力して「Enter」キーを押すと、xlwingsがインストールされる。インストールが完了したら、コマンドプロンプトは閉じる

xlwingsを使った簡単なExcel操作

xlwingsのインストールができたら、IDLEのShellウインドウで、xlwingsを使ったコードを実行してみましょう。

ここでは、「Excelを起動して、1枚目のワークシートのA1セルに、『Hello, xlwings!』という文字列を入力する」というコードを順番に入力して、実行してみます。

●xlwingsのインポートと新規ブックの作成

標準ライブラリやpandasを使ったときと同様、まずはインポートを行います。xlwingsは別名に「xw」を指定するのが一般的です。

Python

```
import xlwings as xw
```

のように入力してインポートを実行すれば、この後xlwingsのコードを「xw.」に続けて入力できるようになります。

別名を指定せず、

```
import xlwings
```

としても構いませんが、この場合は以後のコードで「xlwings.」と書き始める必要があります。

インポートを行ったら、Excelブックを新規に作成するコードを実行しましょう。xlwingsならではのコードです。xlwingsのBook関数を実行して、その戻り値を変数に代入します。

```
bk = xw.Book()
```

上記のコードを実行して少し待つと、Excelが起動してパソコンの画面に表示されます（次ページ**図2**）。また、パソコンの画面上ではわかりませんが、ブックを表すxlwingsのBookオブジェクトが変数bkに代入されます。

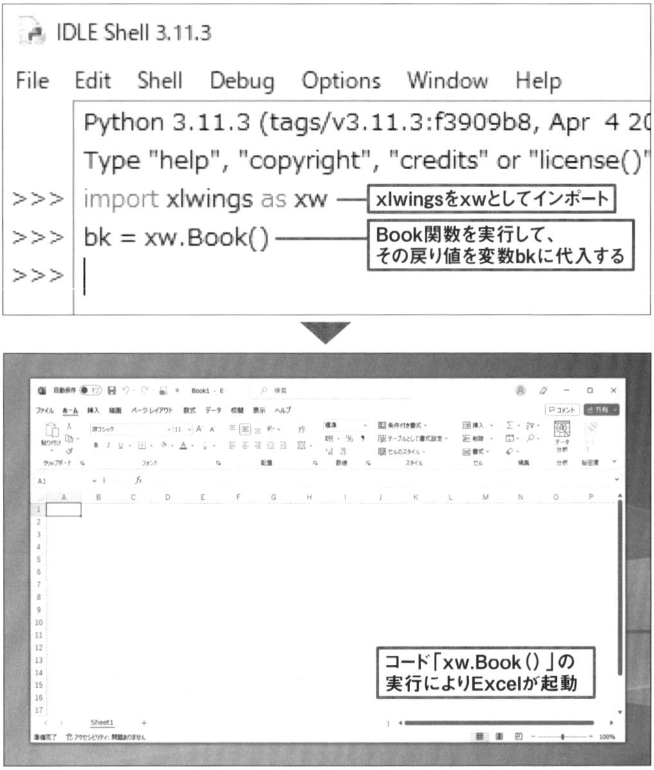

図2 IDLEのShellウインドウで図の2つのコードを実行すると、Excelが起動して新規ブックが開く。このブックを表すBookオブジェクトが変数bkに代入されている

Memo

xlwingsのBookオブジェクトは、Excel VBAのWorkbookオブジェクトに相当します。Bookオブジェクトやコード「xw.Book()」ついては、本章の03節で解説します。

本書の第10章までに実行してきたコードの結果は、IDLEのShellウインドウに出力されるだけでした。それに対し、上記のコードを実行すると、Excelが起動するという大きな違いがあります。

Pythonのコードを実行することで、Excelが起動してパソコンの画面に表示されるというのは、面白く感じられるのではないでしょうか。そのような面白いと感じる気持ちを大切にしてください。

●ワークシートの取得とセルの操作

次に、ワークシートを操作するコードを実行しましょう。先ほどのコードを実行して、Excelが起動したままの状態で、

```
sht = bk.sheets[0]
```

を実行します。すると、パソコンの画面上は何も変化はありませんが、先ほどxlwingsで作成したブックの1枚目のワークシートを表すSheetオブジェクトが、変数shtに代入されます。

確認するために、

```
print(sht.name)
```

を実行すると、1枚目のシート名「Sheet1」が出力されます(**図3**)。

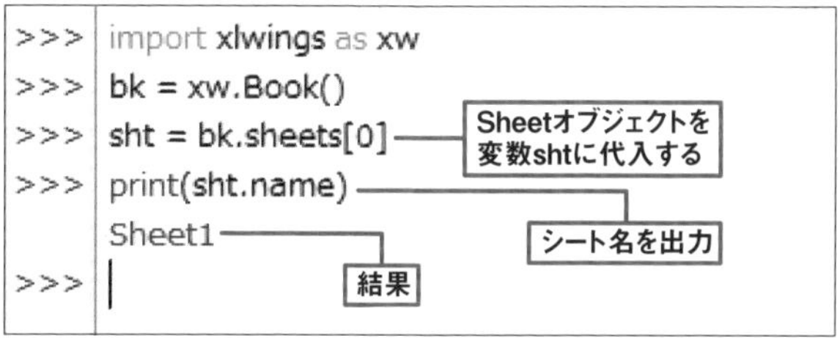

図3　先ほどBookオブジェクトを代入した変数bkを経由して、1枚目のワークシートを表すSheetオブジェクトを変数shtに代入。そのシート名をprint関数で出力した

Memo

ここで実行したSheetを取得するコード「bk.sheets[0]」や、シート名を取得するコード「sht.name」、xlwingsのSheetオブジェクトついては、本章の04節で解説します。

ブック、ワークシートを取得してきたので、次はセルです。

```
rng = sht.range('A1')
```

を実行すると、パソコン上には何も変化はありませんが、変数shtに代入されているワークシートのA1セルを表すRangeオブジェクトが変数rngに代入されます。

続けて、

```
rng.value = 'Hello, xlwings!'
```

を実行すると、A1セルに「Hello, xlwings!」と入力されます（**図4**）。

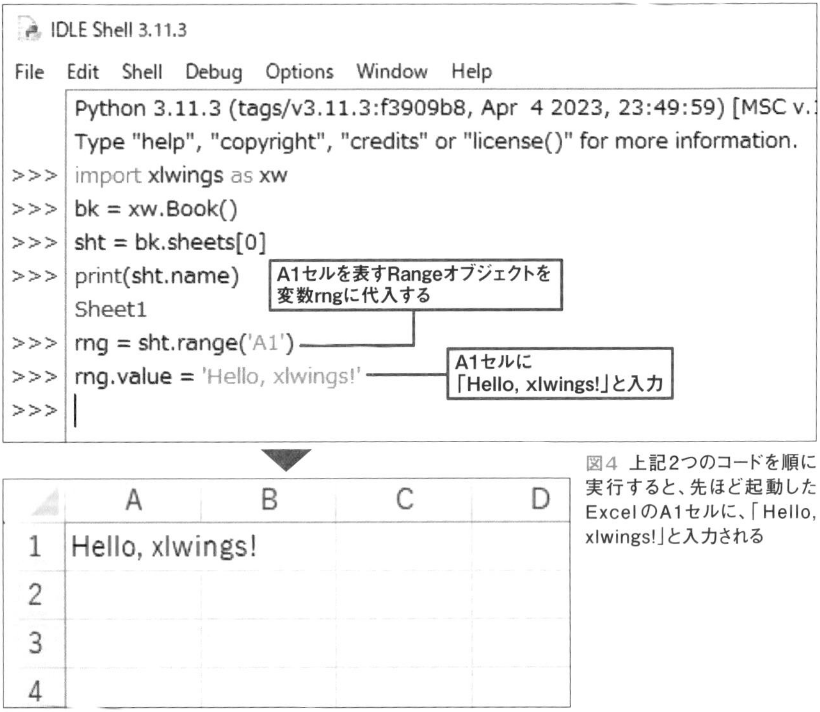

図4　上記2つのコードを順に実行すると、先ほど起動したExcelのA1セルに、「Hello, xlwings!」と入力される

Memo

ここで実行したRangeを取得するコード「sht.range('A1')」や、セルに値を設定するコード「rng.value」、xlwingsのRangeオブジェクトついては本章の05節で解説します。

xlwingsのオブジェクトモデルはExcel VBAと似ている

Excel VBAをお使いの皆さんは、Excelの「ブック－ワークシート－セル」を表すオブジェクトが、以下のような階層構造になっていることをご存じのはずです。

- Workbooks コレクション／Workbook オブジェクト
  - Sheets コレクション／Worksheet オブジェクト
    - Range オブジェクト

xlwingsの場合も名前は異なりますが、「ブック－ワークシート－セル」を表すオブジェクトが、以下のような階層になっています。

- Books コレクション／Book オブジェクト
  - Sheets コレクション／Sheet オブジェクト
    - Range オブジェクト

先ほど実行したコードは、この階層をたどって、ブックを表すBookオブジェクト、ワークシートを表すSheetオブジェクト、セルを表すRangeオブジェクトを順番に取得したわけです。

この後の03～05節で、xlwingsの基本的なオブジェクトモデルについて解説します。

> **Memo** Excelファイルを「ワークブック」と表記する場合もありますが、本書では「ブック」としています。

03 xlwingsのBookはブックを表す

xlwingsのBookは、Excel VBAのWorkbookに相当する、ブックを表すオブジェクトです。

また、xlwingsのBooksは、Excel VBAのWorkbooksに相当し、Bookオブジェクトを要素として含む、開いている全ブックを表すコレクションです。

ブックを作成したり開いたりするBook関数

xlwingsを使って、ブックを新規に作成したり既存のブックを開いたりする場合、さまざまな書き方が可能ですが、最初に覚えたいのはBook関数です。

●Book関数で新規にブックを作成する

本章の02節で実行したとおり、xlwingsを別名「xw」でインポートしているときに以下のコードを実行すると、新規にブックが作成され、作成された新規ブックを表すBookオブジェクトが変数bkに代入されます。

```
bk = xw.Book()
```

Python

この代入文の右辺で使われている「.Book()」が、xlwingsのBook関数です。ここまで学習してきたとおり、Pythonの場合、関数やメソッドに引数を指定しないときにも、丸カッコを付ける必要があります。「xw.Book」でも直後の丸カッコを忘れずに入力してください。

また、xlwingsのメソッドやプロパティは小文字で入力するのが基本ですが、Book関数については先頭の「B」のみを大文字で入力する必要がある点にも注意してください。

●Book関数で既存のブックを開く

Book関数を使うと、新規にブックを作成するだけでなく、既存のブックを開くこともできます。それには、引数にブックのパスを指定します。

Cドライブのtempフォルダーに「sample.xlsx」が存在する状態で、

```
bk = xw.Book(r'C:¥temp¥sample.xlsx')
```

を実行すると、sample.xlsxブックが開かれ、変数bkに代入されます(**図1**)。

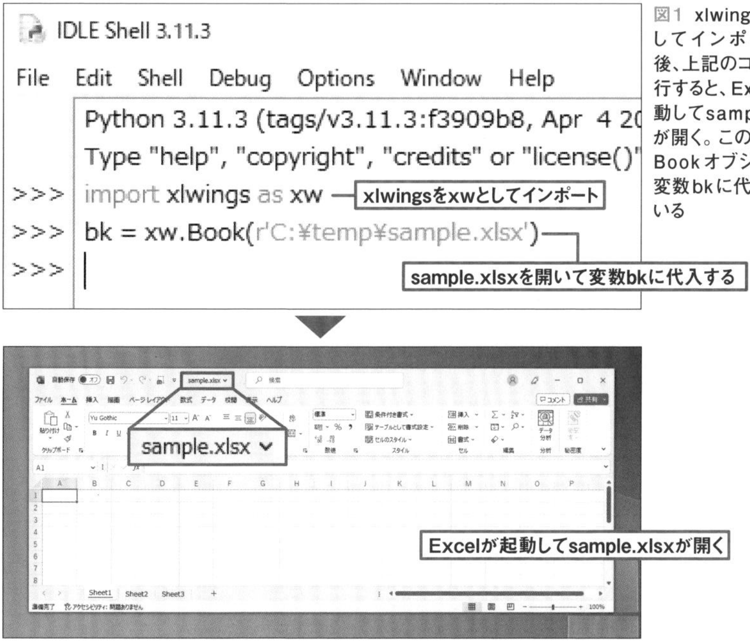

図1 xlwingsをxwとしてインポートした後、上記のコードを実行すると、Excelが起動してsample.xlsxが開く。このブックのBookオブジェクトが変数bkに代入されている

Memo

Book関数の引数は、raw文字列(172ページ参照)を使って指定していることも意識してください。raw文字列を使わない場合は、

```
bk = xw.Book('C:¥¥temp¥¥sample.xlsx')
```

のようにエスケープシーケンス(49ページ参照)を使って指定する必要があります。

Excel VBAの場合、新規にブックを作成するには「Workbooks.Add」、既存のブックを開くには「Workbooks.Open」のように別のメソッドを使う必要があります。それに対しxlwingsの場合は、Book関数でブックを作成することも開くこともできるように実装されています。

Bookが持つプロパティとメソッド

xlwingsのBookオブジェクトには、Excel VBAのWorkbookオブジェクトが持つ特徴的なプロパティやメソッドが用意されています。

●ブック名を取得するname、フルパスを取得するfullname

Excel VBAの場合、WorkbookオブジェクトのNameプロパティで、ブック名(ファイル名)を取得できます。このWorkbook.Nameプロパティに相当するのが、xlwingsのBookオブジェクトに用意されているnameプロパティです。

ブックのフルパスを取得するプロパティも用意されています。Excel VBAの場合、WorkbookオブジェクトのFullNameプロパティで、ブックのフルパスを取得できます。このWorkbook.FullNameプロパティに相当するのが、Bookオブジェクトのfullnameプロパティです。

変数bkに、Cドライブのtempフォルダーに存在するsample.xlsxブックが代入されているときに、

```
print(bk.name)
```

を実行すると、「sample.xlsx」が出力されます。また、

```
print(bk.fullname)
```

を実行すると、「C:¥temp¥sample.xlsx」が出力されます(**図2**)。

```
>>> import xlwings as xw
>>> bk = xw.Book(r'C:¥temp¥sample.xlsx')
>>> print(bk.name)
sample.xlsx
>>> print(bk.fullname)
C:¥temp¥sample.xlsx
>>> |
```

nameプロパティ

fullnameプロパティ

図2 変数bkにBookオブジェクトが代入されているときに、「bk.name」と書けばそのブック名が、「bk.fullname」と書けばそのフルパスが取得できる

●保存を行うsaveメソッド

Excel VBAの場合、ブックに名前を付けて保存するにはWorkbookオブジェクトのSaveAsメソッドを、上書き保存にはSaveメソッドを使用します。

xlwingsでこれらに相当するのが、Bookオブジェクトのsaveメソッドです。

Excel VBAでは、名前を付けて保存と上書き保存が別のメソッドになっていますが、xlwingsの場合は、Book.saveメソッドに引数を指定すれば名前を付けて保存、引数を指定しなければ上書き保存が行われます。

変数bkにBookが代入され、Cドライブにtempフォルダーが存在するときに

```
bk.save(r'C:¥temp¥chap11_book_save.xlsx')
```

を実行すると、そのブックがCドライブのtempフォルダーに「chap11_book_save.xlsx」というブック名で保存されます（**図3**）。

```
>>> import xlwings as xw
>>> bk = xw.Book(r'C:¥temp¥sample.xlsx')
>>> print(bk.name)
sample.xlsx
>>> print(bk.fullname)
C:¥temp¥sample.xlsx
>>> bk.save(r'C:¥temp¥chap11_book_save.xlsx')
>>> |
```

名前を付けて保存の実行

図3 sample.xlsxが変数bkに代入されている状態で、Book.saveメソッドを使った上記コードを実行すると、引数に指定したパスのとおりに、名前を付けて保存できる

また、

```
bk.save()
```

を実行すると上書き保存が行われます。

上書き保存を行う場合にも、「.save」直後の丸カッコの入力を忘れないように注意しましょう。

●ブックを閉じるcloseメソッド

Excel VBAの場合、WorkbookオブジェクトのCloseメソッドでブックを閉じることができます。

xlwingsで、Excel VBAのWorkbook.Closeに相当するのが、Bookオブジェクトのcloseメソッドです。変数bkにBookが代入されているときに

```
bk.close()
```

を実行すると、そのブックが閉じられます。Book.closeメソッドについても、「.close」の直後の丸カッコの入力を忘れないようにしましょう。

なお、Book.closeメソッドを使うときには注意点があります。Excel VBAの場合、保存の行われていないWorkbookオブジェクトのCloseメソッドを実行すると、ブックを保存するかどうかを確認するメッセージが表示されます。一方、xlwingsのBook.closeメソッドでは、確認メッセージが表示されることなく閉じられます。ブックを保存しておきたいときには、Book.saveメソッドで事前に保存してください。

BookのコレクションがBooks

BookオブジェクトのコレクションがBooksコレクションです。Booksコレクションは開かれているすべてのブックを表します。

●ブックの個数を取得するBooks.countプロパティ

Excel VBAの場合、「Debug.Print Workbooks.Count」を実行すると、開

いているブックの個数がイミディエイトウィンドウに出力されます。

xlwingsの場合、

```
print(xw.books.count)
```

というコードで、同様の処理が可能です。(**図4**)。

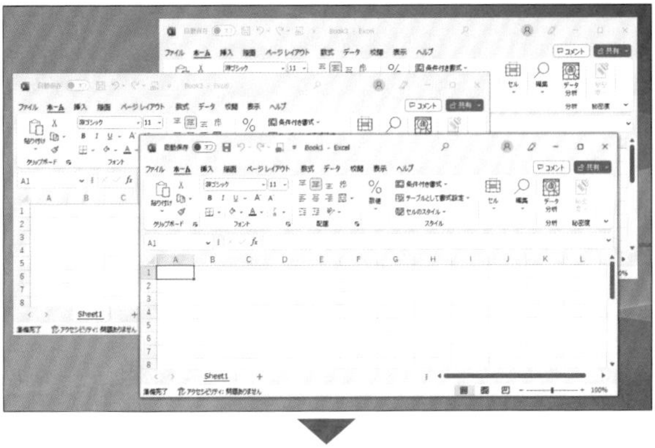

```
>>> import xlwings as xw
>>> print(xw.books.count)
    3
>>> |
```

開いているブックの数を出力する

図4 ブックを3つ開いている状態で、上記のコードを実行すると、「3」がShellウインドウに出力される。Booksコレクションのcountプロパティで取得できるブックの個数を出力している

xlwingsでは、books属性を使って開いている全ブックを表すBooksコレクションの取得が可能です。xlwingsのBooksコレクションには、Excel VBAのWorkbooksコレクションのCountプロパティに相当する、開かれているBookの個数を取得するcountプロパティが用意されています。

Memo

Booksコレクションに限らず、xlwingsのどのコレクションにも、コレクションに含まれる要素数を取得するcountプロパティが用意されています。

●開いている全ブックに処理を繰り返す

Pythonのfor文は、VBAのFor Each～Nextに似ていることを本書では学習してきました。

Excel VBAのWorkbooksコレクションは、For Each～Nextで含まれる要素を順番に処理できます。同様に、xlwingsのBooksコレクションも、for文を使って要素であるBookオブジェクトを順番に取得・処理できます。

Excel VBAの場合、

VBA

```
Dim bk As Workbook
For Each bk in Workbooks
    Debug.Print bk.Name
Next
```

を実行すると、開いている全ブックのブック名（ファイル名）が出力されます。

xlwingsの場合、

Python

```
for bk in xw.books:
    print(bk.name)
```

で同様の処理が可能です（**図5**）。

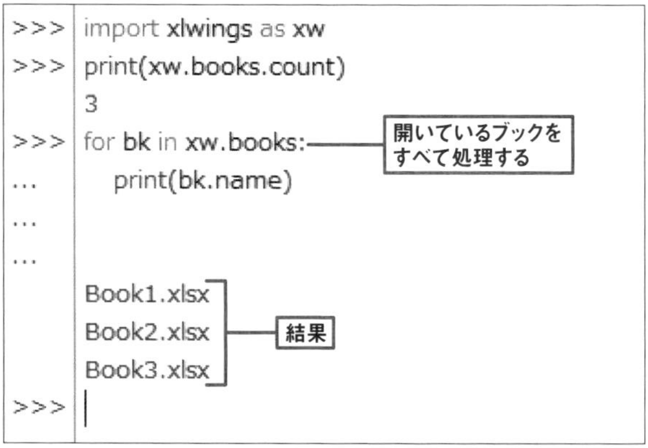

図5　for文を使って、Booksコレクションに含まれる要素のBookオブジェクトを順番に処理できる。ここではブック名を出力した。なお、Shellウインドウでfor文を正しく入力すると、改行した後が自動でインデントされてブロックになる。ブロックの入力が終わったら続けて2回「Enter」キーを押すと、実行される

Memo

Booksコレクションに限らず、xlwingsのどのコレクションも、for文を使った要素オブジェクトに対する処理が可能です。

BooksからBookを取得する

Booksコレクションに含まれる、1つのBookオブジェクトを取得するコードも理解しましょう。

●インデックス番号を指定してBookを取得する

Excel VBAの場合、1番目のブックを表すWorkbookオブジェクトを取得して変数に代入するには、

VBA

```
Dim bk As Workbook
Set bk = Application.Workbooks(1)
```

のように指定します。

xlwingsの場合、以下のようなコードで同様の処理が可能です。

Python

```
bk = xw.books[0]
```

また、

```
bk = xw.books[1]
```

を実行すると、2番目のブックを表すBookオブジェクトを、変数bkに代入できます。

Pythonでは、角カッコを使って何番目の要素かを指定する際、指定する整数（インデックス番号）が0から始まります。一方、Excel VBAのApplication.Workbooksプロパティの場合、丸カッコ内に指定する整数が1から始まるという違いがあります。

Excel VBAに慣れた皆さんの場合、1から始まるほうがわかりやすいと感じると思います。しかし、Pythonでこういったインデックス番号を指定をするときには

0から始まることが多いので、0から始まる番号に早く慣れましょう。

●ブック名を指定してBookを取得する

ブックの名前を指定して、BooksコレクションからBookオブジェクトを取得することも可能です。

「sample.xlsx」ブックが開かれているときに、

```
bk = xw.books['sample.xlsx']
```

を実行すると、sample.xlsxブックを表すBookオブジェクトが、変数bkに代入されます。角カッコの中にブック名を指定すればよいわけです。

●アクティブなBookを取得する

アクティブなブックを表すオブジェクトを取得するコードは、xlwingsとExcel VBAで異なります。

Excel VBAの場合、アクティブなブックを表すWorkbookを取得するには、Applicationオブジェクトなどに用意されているActiveWorkbookプロパティを使用します。それに対しxlwingsの場合は、BooksコレクションのactiveプロパティをPythonを使ってアクティブなBookを取得できます。

複数のブックが開かれているときに、

```
bk = xw.books.active
```

を実行すると、アクティブなブックを表すBookオブジェクトを取得して、変数bkに代入できます。Excel VBAでは見かけないタイプのコードですが、「Booksの中でactiveなもの」といった意味を考えれば理解しやすいでしょう。

Applicationに相当するAppオブジェクト

Excel VBAを熟知している方の場合、ブックを表すWorkbookの上位オブジェクトとして、アプリケーションとしてのExcelを表すApplicationオブジェクトが存在することをご存じのはずです。

xlwingsにも、Excel VBAのApplicationに相当するオブジェクト「App」が用意されています。

xlwingsが別名xwでインポートされ、Excelが起動しているときに、以下のコードを実行すると変数appにAppオブジェクトが代入されます。

```
app = xw.apps.active
```

xlwingsのAppオブジェクトには、Excel VBAのApplicationオブジェクトが持つ特徴的なプロパティ、メソッドの一部が用意されています。

変数appにAppが代入されているときに、以下のコードを実行するとExcelが非表示になります。

```
app.visible = False
```

続けて、以下のコードを実行すればExcelが表示されます。

```
app.visible = True
```

これらのコードは、Excel VBAのApplication.VisibleプロパティにFalseやTrueを代入すると、Excelが非表示になったり表示されたりするのに相当します。

画面更新を制御するScreenUpdatingプロパティや計算方法を変更するCaluculationプロパティも、screen_updatingプロパティ、calculationプロパティとして、xlwingsのAppオブジェクトに用意されています。

04 xlwingsのSheetはワークシートのみを表す

xlwingsのSheetは、Excel VBAのWorksheetオブジェクトに相当する、ワークシートを表すオブジェクトです。

またxlwingsのSheetsは、1つのブックに含まれる全ワークシートを表すコレクションです。Excel VBAでいうと、Worksheetのみを要素として含むSheetsコレクションに相当します。

Book.sheetsで全ワークシートを表すSheetsを取得

1つのブックに含まれる、全ワークシートを表すオブジェクトを取得するコードから見ていきましょう。

Bookオブジェクトに用意されているsheetsプロパティを使うと、そのブックに含まれる全ワークシートを表すSheetsコレクションを取得できます。

●ワークシート数の取得

Excel VBAの場合、変数bkにWorkbookオブジェクトが代入されているときにコード「Debug.Print bk.Worksheets.Count」を実行すると、そのブックに含まれるワークシートの枚数がイミディエイトウィンドウに出力されます。

xlwingsの場合、以下のコードで同様の処理が可能です。

Python
```
print(bk.sheets.count)
```

IDLEのShellウインドウで実行してみましょう。Cドライブの「temp」フォルダーに、3枚のワークシートを含むブック「sample.xlsx」があるとき、このブックをBook関数で開き、変数bkに代入して上記コードを実行すると、「3」と出力されます（**図1**）。

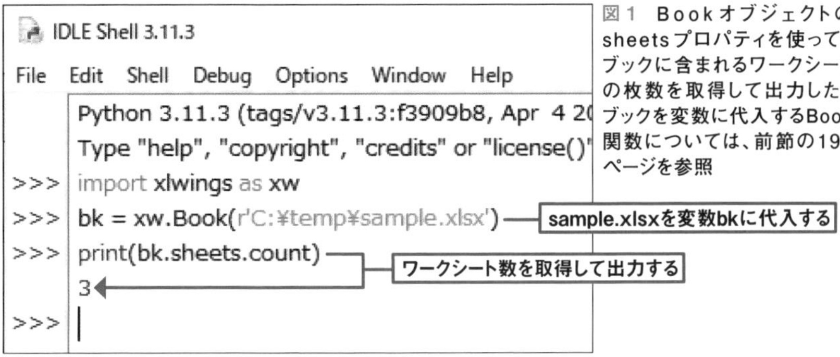

図1 Bookオブジェクトのsheetsプロパティを使って、ブックに含まれるワークシートの枚数を取得して出力した。ブックを変数に代入するBook関数については、前節の198ページを参照

●全ワークシートに対する繰り返し処理

Excel VBAで変数bkにWorkbookオブジェクトが代入されているときに、

```
Dim sht As Worksheet
For Each sht in bk.Worksheets
    Debug.Print sht.Name
Next
```

を実行すると、そのブックに含まれる全ワークシートのシート名が出力されます。

xlwingsの場合、

```
for sht in bk.sheets:
    print(sht.name)
```

で同様の処理が可能です（次ページ**図2**）。

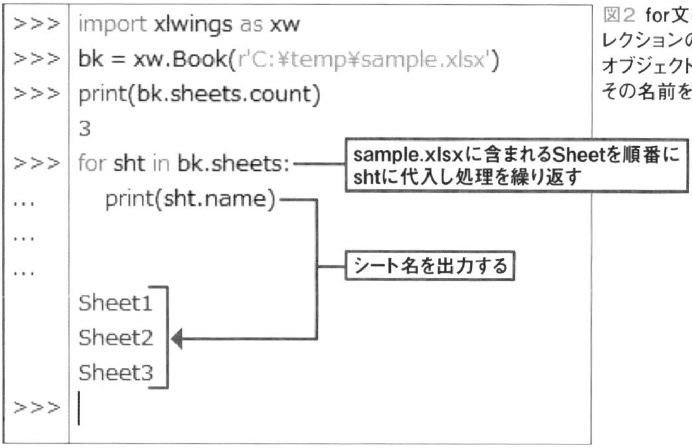

図2 for文を使って、Sheetsコレクションの要素であるSheetオブジェクトを順番に取得して、その名前を出力した

Pythonのfor文を使って、Book.sheetsプロパティで取得できるSheetsコレクションの要素であるSheetオブジェクトを順番に取得して、Sheet.nameプロパティで取得できるワークシート名を出力しています。

Memo

xlwingsのSheet.nameプロパティは、Excel VBAのWorksheet.Nameプロパティに相当します。詳細は215ページで解説します。

グラフシートを表すオブジェクトはxlwingsにはない

Excel VBAをお使いの皆さんは、「シート」といったときに、ワークシートのほかに「グラフシート」もあることをご存じでしょう。グラフシートを表すオブジェクトは、xlwingsには用意されていません。

ワークシートが3枚、グラフシートが1枚の計4枚のシートが含まれるBookが、変数bkに代入されているとき、「bk.sheets.count」の戻り値は「4」ではなく「3」です。そのBookを前ページのようなfor文でループ処理しても、出力されるのはワークシート名のみです。

Memo

xlwingsにもChartという名前のオブジェクトが存在しますが、これはワークシート上に存在する埋め込みグラフを表すオブジェクトです。

xlwings経由でグラフシートを操作するには

xlwingsにはグラフシートを表すオブジェクトは用意されていないとお伝えしましたが、xlwings経由でグラフシートをまったく操作できない、というわけではありません。

xlwingsのBookオブジェクトには、「api」という名前のプロパティが用意されています。このBook.apiプロパティを経由すると、Excel VBAとよく似たコードでグラフシートを操作できます。

変数bkに、グラフシートの存在するBookが代入されているときに、以下のコードを実行すると、グラフシートのシート名のみが出力されます。

```
for sht in bk.api.Charts:
    print(sht.Name)
```

「api.」に続くコードは、Excel VBAとほぼ同じ書き方をする必要があります。「Charts」「Name」の先頭は大文字にしなければなりません。

apiプロパティが用意されているオブジェクトは、Bookオブジェクトのほかにも複数存在します。xlwingsで実装されていない機能は、apiプロパティを経由することで、Excel VBAと似たようなコードで操作できるのが、xlwingsの特長です。

SheetsからSheetを取得する

続いて、Sheetsコレクションに含まれる、単独のSheetオブジェクトを取得するコードを理解しましょう。

●インデックス番号を指定してSheetを取得する

Excel VBAの場合、変数bkにブックを表すWorkbookオブジェクトが代入されているときに、

VBA

```
Dim sht As Worksheet
Set sht = bk.Worksheets(1)
```

を実行すると、1枚目のワークシートを表すWorksheetオブジェクトを取得して変数shtに代入できます。

xlwingsの場合、本章の195ページで実行した以下のようなコードで同様の処理が可能です。

Python
```
sht = bk.sheets[0]
```

また、

```
sht = bk.sheets[1]
```

を実行したときには、2枚目のシートを表すSheetオブジェクトを変数shtに代入できます。

> Memo
> 本章の205ページで、booksプロパティを経由してBookオブジェクトを取得する場合、角カッコで指定するインデックス番号が0から始まることを学習したことも思い出しましょう。

●末尾のSheetを簡単に取得できる

ブックの末尾(右端)にあるワークシートを取得するコードは、Excel VBA より、xlwingsを使うほうがシンプルに書けます。

Excel VBAの場合、変数bkにWorkbookオブジェクトが代入されているときに、末尾のWorksheetを取得して変数shtに代入するには、以下のようなコードを書く必要があります。

VBA
```
Dim cnt As Long
cnt = bk.Worksheets.Count

Dim sht As Worksheet
Set sht = bk.Worksheets(cnt)
```

それに対して、xlwingsを使うと以下のような、非常にシンプルなコードで末尾のSheetを取得して変数shtに代入できます。

Python
```
sht = bk.sheets[-1]
```

xlwingsのSheetsコレクションは、第8章で学んだリストのような性質も併せ持つオブジェクトとして実装されています。そのため、「bk.sheets[-1]」のようにシンプルなコードで最後のSheetが取得でき、Excel VBAより便利です。

●シート名を指定してSheetを取得する

インデックス番号ではなくシート名を指定して、SheetsコレクションからSheetオブジェクトを取得することも可能です。変数bkに代入されているBookに「Sheet1」という名前のワークシートが存在するときに、

```
sht = bk.sheets['Sheet1']
```

を実行すると、Sheet1という名前のシートを表すSheetオブジェクトを、変数shtに代入できます。

●アクティブなSheetを取得する

Excel VBAの場合、アクティブなワークシートを表すWorksheetを取得するには、Workbookオブジェクトなどに用意されているActiveSheetプロパティを使用します。

それに対しxlwingsでは、Sheetsコレクションのactiveプロパティを使ってアクティブなSheetを取得できます。

以下のコードを実行すると、アクティブなワークシートを表すSheetオブジェクトを取得して、変数shtに代入できます。

```
sht = bk.sheets.active
```

Memo

本章の206ページで、アクティブなブックを表すBookオブジェクトを変数に代入するコード「bk = xw.books.active」を学習したことも思い出してください。

ワークシートに関連するプロパティ

xlwingsのSheetは、Excel VBAのWorksheetに相当しますが、用意されているプロパティは、Excel VBAのWorksheetよりも少なくなっています。

ただし、Excel VBAのWorksheetが持つ特徴的なプロパティは、xlwingsのSheetオブジェクトにも用意されています。

●表示状態を取得・設定するvisibleプロパティ

Excel VBAの場合、Worksheet.Visibleプロパティで、ワークシートの表示状態を取得・設定できます。xlwingsでも同様に、Sheet.visibleプロパティで、ワークシートの表示状態を取得・設定できます。

変数bkにBookオブジェクトが代入されているときに、

```
bk.sheets[-1].visible = False
```

を実行すると、そのブックの末尾のワークシートが非表示になります。

また、以下のコードを実行したときには、変数bkに代入されているブックの全ワークシートを再表示できます。

```
for sht in bk.sheets:
    sht.visible = True
```

Memo

こういった処理で、forブロック内に「もしワークシートが非表示だったら」といったif文を入れてしまう人がいますが、その必要はありません。

●シート名を取得・設定するnameプロパティ

209ページで実行した次のコード、

```
for sht in bk.sheets:
    print(sht.name)
```

で見たように、Sheetオブジェクトのnameプロパティでシート名を取得できます。

Excel VBAのWorksheet.Nameプロパティでシート名を設定できるのと同様、xlwingsのSheet.nameプロパティでシート名を設定することもできます。変数bkにBookオブジェクトが代入されているときに、

```
bk.sheets[0].name = 'シート1'
```

を実行すると、そのブックの先頭シートの名前が「シート1」に変更されます（**図3**）。

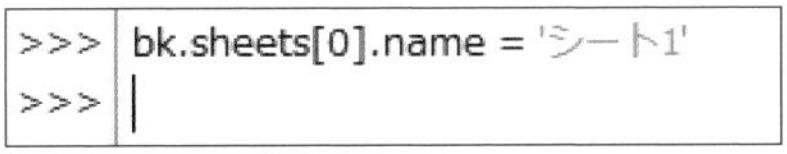

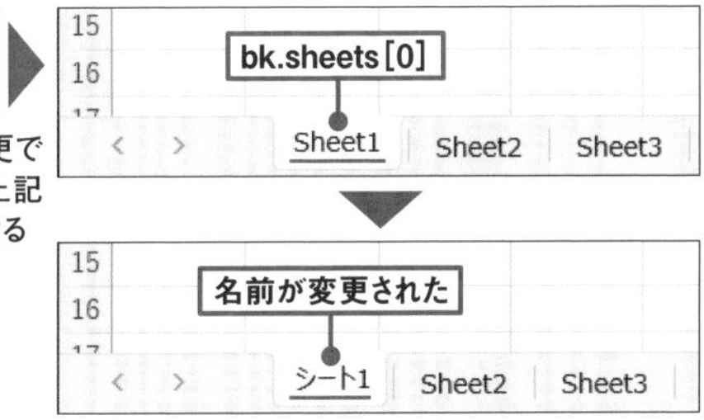

図3 シートの名前はSheet.nameプロパティで変更できる。1枚目のシートは「bk.sheets[0]」なので、上記のコードで1枚目のシート名を「シート1」に変更できる

●ワークシート名をリストとして取得するBook.sheet_namesプロパティ

Excel VBAには存在しない、ワークシートに関連するプロパティもxlwingsにはあります。Bookオブジェクトのsheet_namesプロパティを使うと、ブックに含まれる全ワークシートのシート名がリストの形で取得できます。

例えば、「Sheet1」「Sheet2」「Sheet3」という名前のワークシートが含まれるブックが変数bkに代入されているときに、

```
print(bk.sheet_names)
```

を実行すると、

```
['Sheet1', 'Sheet2', 'Sheet3']
```

と出力されます（**図4**）。

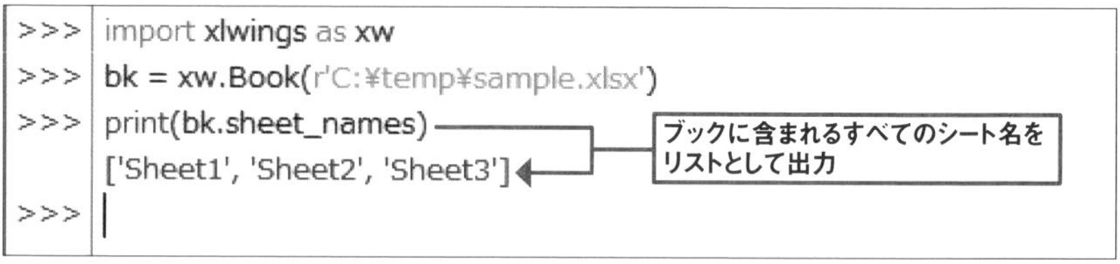

図4 変数bkにブックが代入されているとき、「bk.sheet_names」ですべてのシート名をリストとして取得できる

Memo

xlwingsのBook.sheet_namesプロパティは、pandasのExcelFile.sheet_names属性（187ページ参照）を意識して実装されたはずですが、pandasのsheet_names属性を内部で利用しているわけではありません。

ワークシートに関連するメソッド

メソッドについても、Excel VBAのワークシートに関連する特徴的なものが、xlwingsでも実装されています。

●ワークシートを選択するselectメソッド

Excel VBAの場合、Worksheet.Selectメソッドでワークシートを選択できます。xlwingsでも同様に、Sheet.selectメソッドでワークシートを選択できます。

```
bk.sheets[0].select()
```

を実行すると、変数bkに代入されているBookの、先頭のワークシートが選択されます。

ただし、Excel VBAとxlwingsには微妙な違いもあります。Excel VBAの

Worksheet.Selectメソッドの場合、引数ReplaceにFalseを指定することで、複数シートの選択が可能です。それに対し、xlwingsのSheet.selectメソッドには引数を指定することはできず、1枚のワークシートしか選択できません。

●ワークシートを削除するdeleteメソッド

Excel VBAの場合、Worksheet.Deleteメソッドでワークシートを削除できます。xlwingsでも同様に、Sheet.deleteメソッドでワークシートを削除できます。

```
bk.sheets[0].delete()
```

を実行すると、変数bkに代入されているBookの、先頭のワークシートが削除されます。

Excel VBAのWorksheet.Deleteメソッドの場合、標準では「このシートは完全に削除されます。続けますか?」という確認メッセージが表示されます。それに対し、xlwingsのSheet.deleteメソッドは警告なくシートの削除が行われます。

Excel VBAでシートを削除する場合、あらかじめコード「Application.DisplayAlerts = False」を入れて、確認メッセージの制御を行うことが多いのですが、xlwingsではその必要がないため、Excel VBAより便利といえます。

●ワークシートを挿入するSheets.addメソッド

Excel VBAの場合、SheetsコレクションのAddメソッドで、ワークシートを挿入できます。xlwingsでも、Sheetsコレクションのaddメソッドで、ワークシートを挿入できます。

ただし、Excel VBAのSheets.Addと、xlwingsのSheets.addでは指定できる引数が微妙に異なります。Excel VBAのSheets.Addメソッドでは引数に挿入する枚数などを指定できますが、xlwingsのSheets.addメソッドの場合、枚数は指定できず、ワークシート名や挿入する位置を指定できます。

例えば、

```
bk.sheets.add(name='新しいシート', after=bk.sheets[-1])
```

を実行すると、変数bkに代入されているBookの、末尾のワークシートの後ろに「新しいシート」という名前のワークシートを挿入できます(**図5**)。

```
>>> import xlwings as xw
>>> bk = xw.Book(r'C:¥temp¥sample.xlsx')
>>> bk.sheets.add(name='新しいシート', after=bk.sheets[-1])
<Sheet [sample.xlsx]新しいシート>
>>>
```

末尾のシートの後ろ(右側)に「新しいシート」を挿入する

図5 Sheets.addメソッドは、引数にワークシートの名前や挿入する位置を指定できる。上記のコードは、ブックの末尾に「新しいシート」という名前のワークシートを挿入する

Memo

Excel VBAで名前付き引数を指定するときは、引数名の直後に、「:=」(コロンとイコール)に続けて値を指定します。一方、xlwingsでキーワード引数を指定するときは、リストのメソッド(156ページ参照)などと同様に「=」に続けて値を指定します。

xlwings.sheetsでアクティブブックのSheetsを取得できる

208ページではBook.sheetsプロパティで、ブックに含まれる全ワークシートを表すSheetsコレクションを取得できることをお伝えしました。

Bookオブジェクトの下にSheetsコレクションがあるという階層関係を理解できたら、便利な属性も使ってみてください。xlwingsのsheets属性です。

何らかのブックがExcelで開かれているときに、xlwings.sheets属性を使うと、Bookオブジェクトを経由せずにアクティブなブックのSheetsコレクションをいきなり取得できます。

別名「xw」でxlwingsがインポートされ、ブックが開かれているときに

```
print(xw.sheets.count)
```

を実行すると、アクティブブックのワークシート数が出力されます。また、

```
for sht in xw.sheets:
    print(sht.name)
```

を実行すれば、アクティブブックの全ワークシート名が出力されます(**図6**)。

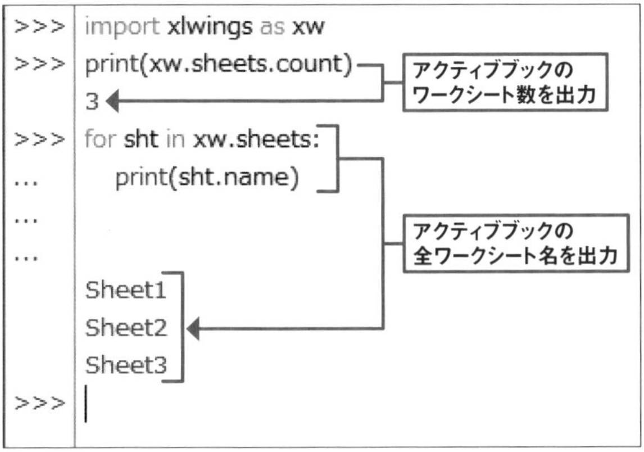

図6 xlwings.sheets属性を使うと、Bookオブジェクトを経由せず、アクティブブックの全ワークシートを表すSheetsコレクションを取得できる

Excel VBA的なコードでもSheetsからSheetを取得できるが…

ここまで「bk.sheets[0]」といったコードで、先頭のSheetを取得できることを解説してきましたが、実は以下のようなExcel VBAに似た書き方(丸カッコ内に1から始まるインデックス番号を指定)でも、1枚目のワークシートを表すSheetを取得して変数shtに代入できます。

```
sht = bk.sheets(1)
```

Excel VBAに慣れていると、こちらのほうが理解しやすいはずですが、この書き方の場合、末尾シートを取得する便利な「.sheets[-1]」といった書き方ができません。

Pythonを使う場合、「0」から始まるインデックス番号に早く慣れる必要があります。丸カッコに1始まりの数値を指定する「.sheets(1)」より、角カッコに0始まりの数値を指定する「.sheets[0]」を使うことを、筆者はお勧めします。

05 xlwingsでもRangeはセルを表す

xlwingsのRangeは、Excel VBAのRangeに相当する、セル範囲や単独のセルを表すオブジェクトです。

Rangeが持つプロパティとメソッド

ここまで学習してきた、BookやSheetと同様に、xlwingsのRangeにも、Excel VBAのRangeオブジェクトが持つ特徴的なプロパティやメソッドが用意されています。

●Excel VBAのRangeと同様のプロパティ

xlwingsのRangeに用意されているプロパティのうち、Excel VBAのRangeが持つ、単なるデータを取得するプロパティに相当するものの一部を抜粋すると、以下のとおりです。

xlwings	Excel VBA	用途・目的
column	Column	列番号の取得
column_width	ColumnWidth	列幅の取得・設定
count	Count	セルの個数の取得
formula	Formula	数式の取得・設定
row	Row	行番号の取得
row_height	RowHeight	行高の取得・設定
value	Value	値の取得・設定

プロパティ名の一部が大文字か小文字かといった違いはありますが、Excel VBAのRangeオブジェクトをご存じであれば難しくはないでしょう。

●Excel VBAのRangeと同様のメソッド

メソッドについても、その一部を抜粋すると以下のとおりです。

xlwings	Excel VBA	用途・目的
clear	Clear	すべてクリア
clear_contents	ClearContents	数式と値のクリア
clear_formats	ClearFormats	書式のクリア
delete	Delete	セルの削除
merge	Merge	セルの結合
select	Select	セルの選択
unmerge	UnMerge	セル結合の解除

こちらもメソッド名の一部が大文字か小文字かといった違いはありますが、Excel VBAのRangeオブジェクトを理解していれば難しくはないでしょう。

ただし、これまでも繰り返しお伝えしてきたとおり、Pythonでは引数を指定せずにメソッドを実行するときにも、メソッド名の直後の丸カッコが必須である点には注意してください。

●セル番地を取得するaddressプロパティとget_addressメソッド

Excel VBAの場合、Range.Addressプロパティを使って、セル番地を取得できます。Range.Addressプロパティには引数を指定でき、

```
Debug.Print rng.Address(False, False)
```
VBA

を実行すると、セル番地が「$」の付かない相対参照形式の文字列として取得できます。

xlwingsのRangeオブジェクトにもセル番地を取得するaddressプロパティが用意されています。ただし、xlwingsのRange.addressプロパティの場合、引数を指定することはできません。セル番地を相対参照の形で取得するには、

Rangeオブジェクトのget_addressメソッドを使ってください。

Python

```
print(rng.get_address(False, False))
```

のように指定すれば、行・列のいずれにも「$」の付かない相対参照形式でセル番地を取得できます。

Memo

xlwingsでは、何らかのデータを取得するコードであっても、引数を指定するものについては、プロパティではなくメソッドとして実装されています。

●表示形式を取得・設定するnumber_formatプロパティ

Excel VBAの場合、セルの表示形式を取得・設定するプロパティは、NumberFormatとNumberFormatLocalの2つがあります。日本語環境では、NumberFormatプロパティに使いづらい部分があり、NumberFormatLocalプロパティのほうがよく使われているはずです。

xlwingsのRangeオブジェクトにもセルの表示形式を取得・設定するnumber_formatプロパティが用意されていますが、これはExcel VBAのNumberFormatLocalプロパティに相当します。よく使われるほうのNumberFormatLocalプロパティを、少しでも短い名前のnumber_formatプロパティで利用できるのは、些細なことですがxlwingsの便利な部分といえます。

●背景色の取得・設定はExcel VBAよりシンプル

セルの背景色を取得・設定するコードは、Excel VBAよりもxlwingsのほうがシンプルに書けます。Excel VBAでRGB値を指定してA1セルの背景色を赤色に変更するには、以下のようなコードを書く必要があります。

VBA

```
sht.Range("A1").Interior.Color = RGB(255, 0, 0)
```

それに対しxlwingsの場合、次のようなコードで同様の処理が可能です。

```python
sht.range('A1').color = (255, 0, 0)
```
Python

Rangeオブジェクトのcolorプロパティに、RGB値をタプル(158ページ参照)で指定することで、セルの背景色を設定できます。

16進数で色を指定する、以下のような書き方でも同様の結果になります。HTMLやCSSにおける16進数の色指定に慣れた方には、こちらのほうがわかりやすいかもしれません。

```python
sht.range('A1').color = 'ff0000'
```

Excel VBAの場合、セルの背景色を操作するには以下のような階層をたどる必要があります。

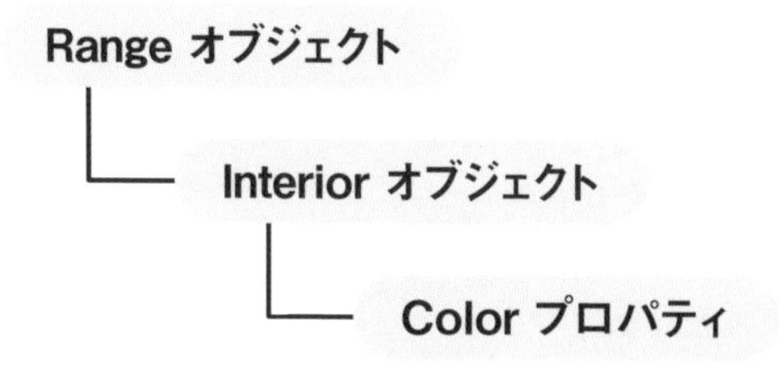

それに対しxlwingsの場合は、以下のようにRangeオブジェクトのcolorプロパティでいきなり背景色を取得・設定できるように実装されているため、Excel VBAよりシンプルに書けます。

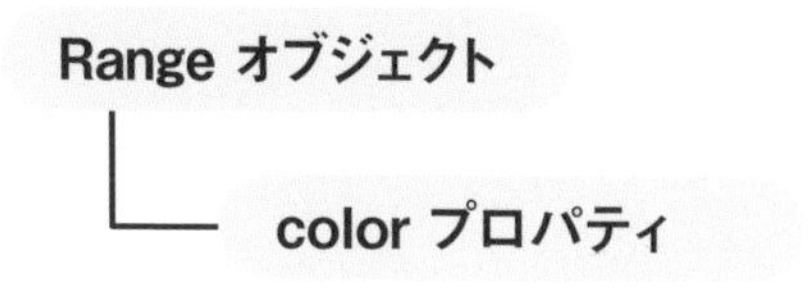

xlwingsのRangeに実装されていないプロパティやメソッド

xlwingsのRangeには、Excel VBAのRangeが持つ特徴的なプロパティやメソッドのみが実装されています。xlwingsで実装されていないプロパティやメソッドを利用したい場合は、apiプロパティを経由してください。

例えば、セルの罫線に関係する機能はxlwingsに実装されていませんが、Range.apiプロパティを経由すると罫線を引くことができます。変数rngにセル範囲を表すRangeオブジェクトが代入されているときに

```
rng.api.BorderAround()
```

を実行すると、Excel VBAのRange.BorderAroundメソッドが呼び出され、セルの周りに罫線を引けます。

Rangeオブジェクトを取得する

Rangeに用意されているプロパティやメソッドを見たところで、Rangeオブジェクトを取得する基本のコードを学習しましょう。

Excel VBAの場合、セルを表すRangeオブジェクトを取得するには、Worksheetオブジェクトなどに用意されているRangeプロパティやCellsプロパティを使用するのが基本です。

xlwingsにも、それらに相当するrangeメソッドやcellsプロパティが、ワークシートを表すSheetオブジェクトに用意されています。

●rangeメソッドの基本

Sheetオブジェクトのrangeメソッドを使うと、セルを表すRangeオブジェクトを取得できます。

Shellウインドウで簡単なコードを実行しましょう。まず、本章の04節までで学習した内容を思い出しながら、次の3行のコードを実行してください。

```
import xlwings as xw
bk = xw.Book()
sht = bk.sheets.active
```

新規にブックが作成され、新規ブックのアクティブシートが変数shtに代入されます。この状態から、Excel VBAの「Worksheet.Range("A1")」に相当するコードを実行して、アクティブシートのセルを取得・操作してみましょう。

以下の2行のコードを実行すると、アクティブシートのA1セルが緑色に変化します(**図1**)。

```
rng = sht.range('A1')
rng.color = '00cc00'
```

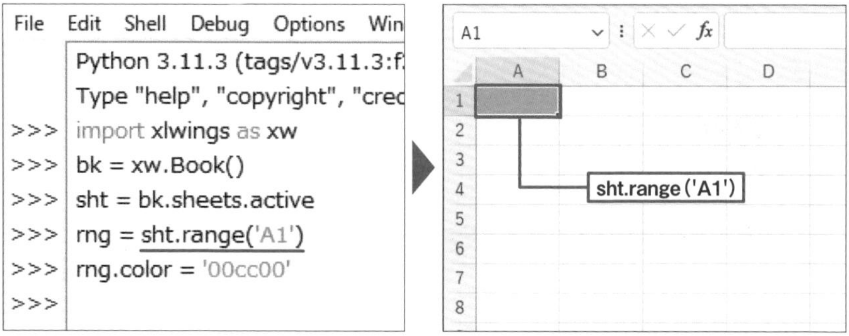

図1 Shellウインドウで、上記のコードを順番に実行すると、Excelで新規ブックが作成され、A1セルが緑色に塗りつぶされた

Sheet.rangeメソッドの引数に文字列「A1」を指定することで、A1セルを表すRangeオブジェクトを取得して変数rngに代入しておき、先ほどお伝えしたRange.colorプロパティに文字列「00cc00」を指定することで、塗りつぶしの色を緑色に設定しています。

Sheetオブジェクトのrangeメソッドの引数に、セルを指定する文字列を渡すことで、セルを表すRangeオブジェクトが取得できることを意識してください。

上記のコードは、変数rngを使わずに

```
sht.range('A1').color = '00cc00'
```

と書いても同じ結果になります。

●rangeメソッドの引数にセル範囲を表す文字列を指定

Excel VBAのRangeプロパティに、セル範囲を示す文字列を指定するのと同様の指定も可能です。

```
sht.range('A1:B2').color = '00cc00'
```

を実行すると、A1:B2セルが緑色に設定されます（**図2**）。

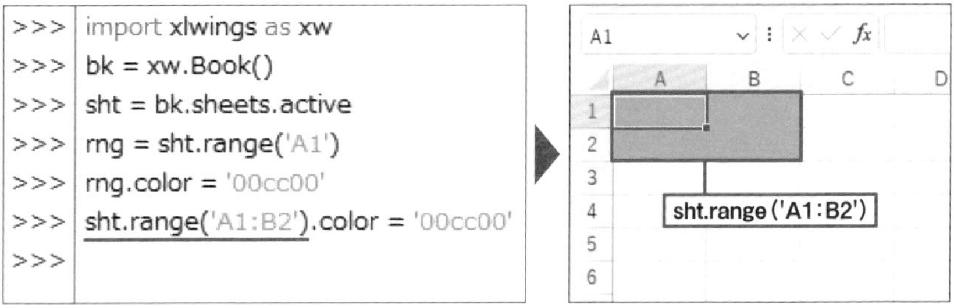

図2　Sheet.rangeメソッドの引数にセル範囲を表す文字列「A1:B2」を指定すると、A1:B2セルの範囲が取得できる

Sheet.rangeメソッドの第1引数に、セル範囲を示す文字列「A1:B2」を指定することで、A1:B2セルを表すRangeオブジェクトを取得しています。

ここで使用した「.range('A1:B2')」は、Excel VBAの「.Range("A1:B2")」に相当します。

●rangeメソッドには引数を2つ指定できる

Excel VBAのRangeプロパティには引数を2つ指定でき、その場合2つの引数で指定されたセル範囲を取得できます。

xlwingsでも同様に、Sheet.rangeメソッドの引数を2つ指定することで、セル範囲を表すRangeオブジェクトを取得できます。例えば、

```
sht.range('A1', 'C3').color = '00cc00'
```

を実行すると、A1:C3セルが緑色に変化します（**図3**）。

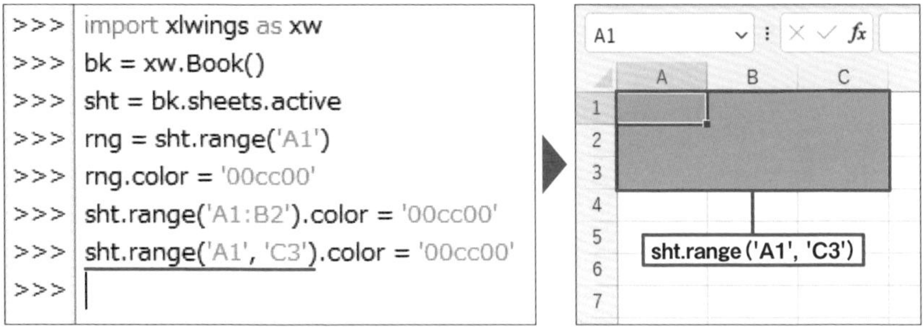

図3 Sheet.rangeメソッドの引数に2つのセルを指定すると、その2つに挟まれた範囲を取得できる。ここではA1：C3セルの範囲が緑色に塗りつぶされた

ここで使用した「.range('A1', 'C3')」は、Excel VBAの「.Range("A1", "C3")」に相当します。

Sheet.rangeメソッドの引数は、さまざまな指定が可能ですが、まずは以上のようなExcel VBAと同様の指定方法を理解しましょう。

●cellsプロパティの基本

Sheetオブジェクトには、ワークシート上の全セルを表すRangeオブジェクトを取得するcellsプロパティが用意されており、Excel VBAと似たコードで単独のセルを表すRangeオブジェクトを取得できます。例えば、

```
sht.cells(3, 1).color = '0000cc'
```

を実行すると、3行目×1列目にあるA3セルの色が青色に変更されます（次ページ**図4**）。

Memo

xlwingsのSheet.cellsは、Excel VBAのCellsと同様に引数を指定できないプロパティです。

```
>>> sht.range('A1:B2').color = '00cc00'
>>> sht.range('A1', 'C3').color = '00cc00'
>>> sht.cells(3, 1).color = '0000cc'
>>>
```

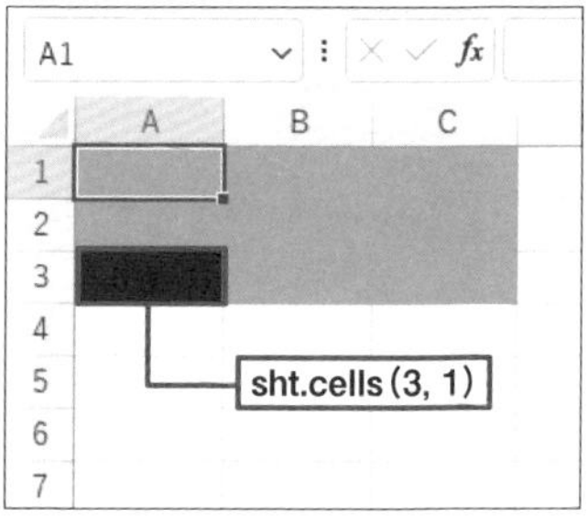

図4 「.cells(3, 1)」と指定すると、3行目×1列目にあるA3セルを取得できる。ここではA3セルが青色に塗りつぶされた

また、以下のコードを実行すると、1行目×3列目のC1セルの色が青色に変更されます(**図5**)。

```
sht.cells(1, 3).color = '0000cc'
```

```
>>> sht.range('A1:B2').color = '00cc00'
>>> sht.range('A1', 'C3').color = '00cc00'
>>> sht.cells(3, 1).color = '0000cc'
>>> sht.cells(1, 3).color = '0000cc'
>>>
```

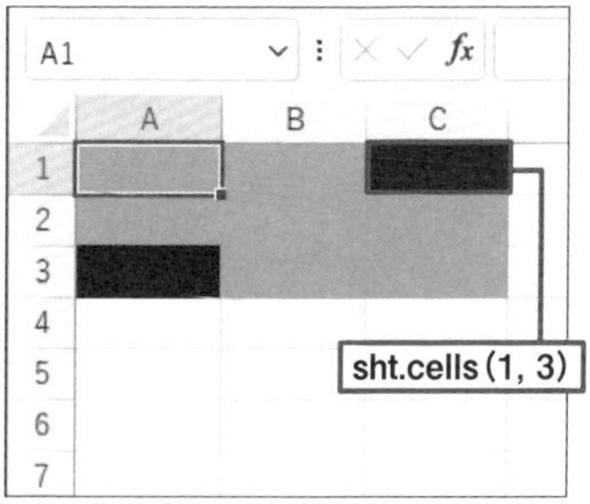

図5 「.cells(1, 3)」と指定すると、1行目×3列目にあるC1セルを取得できる。ここではC1セルが青色に塗りつぶされた

これらはそれぞれ、Excel VBAの場合に「.Cells(3, 1)」や「.Cells(1, 3)」でA3セルやC1セルを取得できるのに相当します。

ただし、Excel VBAの場合は「sht.Cells(3, "A")」や「sht.Cells(1, "C")」のように列をアルファベットを使って指定することもできますが、xlwingsのSheet.cellsの場合はアルファベットを指定することはできません。

●RangeとCellsを組み合わせたようなコード

Excel VBAでは、Rangeプロパティの2つの引数にCellsプロパティを使ってセル範囲を表すRangeを取得することもできます。

「.Range(Cells(1, 1), Cells(3, 3))」といったコードで、1行目×1列目のA1セルから3行目×3列目のC3セルまでのA1:C3セルを表すRangeを取得できます。

このような指定は、xlwingsのほうがシンプルに書けます。例えば、

```
sht.range((1, 1), (3, 3)).color = '0000cc'
```

を実行すると、A1:C3セルが青色に設定されます（**図6**）。

```
>>> sht.range('A1:B2').color = '00cc00'
>>> sht.range('A1', 'C3').color = '00cc00'
>>> sht.cells(3, 1).color = '0000cc'
>>> sht.cells(1, 3).color = '0000cc'
>>> sht.range((1, 1), (3, 3)).color = '0000cc'
>>>
```

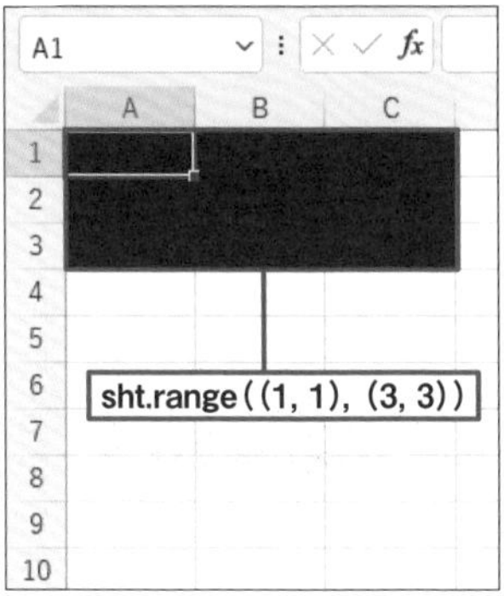

図6 Sheet.rangeメソッドの2つの引数に、A1セルを表す「(1, 1)」とC3セルを表す「(3, 3)」を指定すると、A1:C3セルの範囲を取得できる。ここではA1:C3セルが青色に塗りつぶされた

上記コードでは、Sheet.rangeメソッドの第1引数に1行目×1列目のセル（A1セル）を表す「(1, 1)」を、第2引数に3行目×3列目のセル（C3セル）を表す「(3, 3)」を指定しています。

Sheet.rangeメソッドの2つの引数に、タプル（158ページ参照）を指定することで、Excel VBAのRangeプロパティとCellsプロパティを組み合わせたような指定ができるように実装されています。

Rangeを取得するさまざまなコード

Excel VBAではさまざまなコードでRangeオブジェクトを取得できます。その代表的なものが、xlwingsでも実装されています。

●Range.Endに相当するRange.endメソッド

Excel VBAでは、何らかのデータの端（データの切れ目）に該当する終端セルをRange.Endプロパティで取得できます。

xlwingsで、Range.Endプロパティに相当するのが、Range.endメソッドです。変数shtにSheetが代入されているときに以下のコードを実行すると、A1セルか

ら下方向の終端セルの行番号が出力されます（**図7**）。

```
print(sht.range('A1').end('down').row)
```

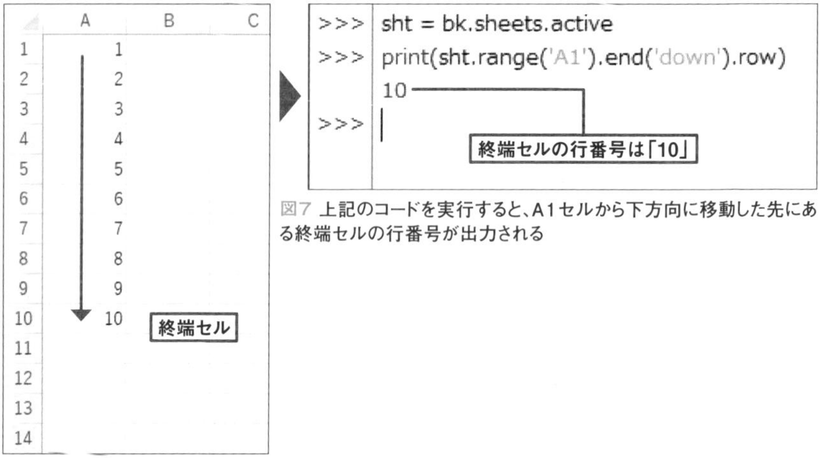

図7　上記のコードを実行すると、A1セルから下方向に移動した先にある終端セルの行番号が出力される

Excel VBAのRange.Endプロパティの引数にはXlDirection列挙型に定義されているxlDownやxlUpのような定数を指定しますが、xlwingsのRange.endメソッドには「down」「up」「right」「left」といった文字列を指定できます。

●Cells（Rows.Count, 1）.End（xlUp）に相当するコード

Excel VBAでよく使われる「Cells（Rows.Count, 1）.End（xlUp）」に相当するコードは、変数shtにSheetオブジェクトが代入されているとき、以下のように書く必要があります。

```
sht.cells(sht.cells.rows.count, 1).end('up')
```

上記のコードを使った以下のコードを実行すると、最終行から上方向に取得した終端セルの行番号が出力されます（**図8**）。

```
print(sht.cells(sht.cells.rows.count, 1).end('up').row)
```

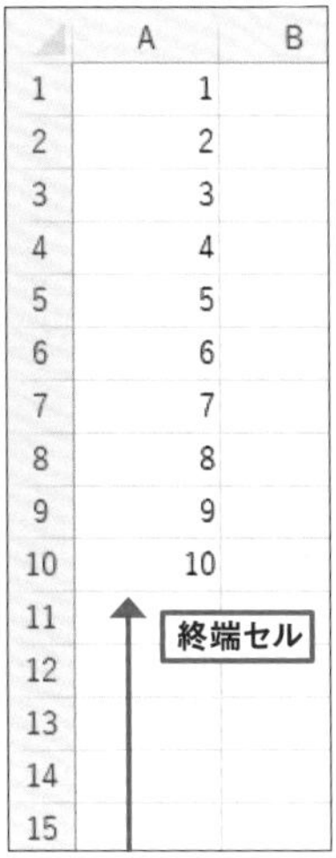

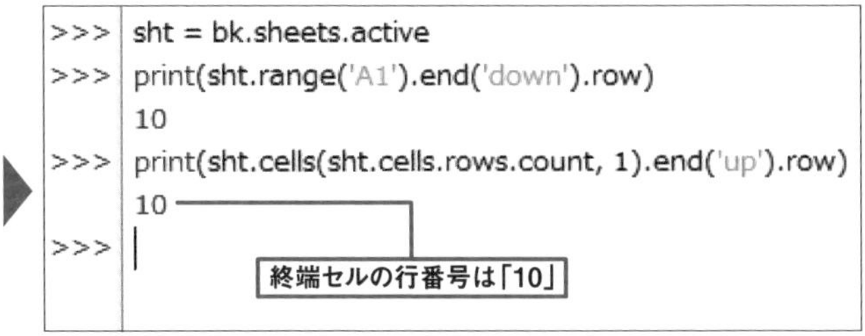

図8　上記のコードを実行すると、シートの最終行から上方向に移動した先にある終端セルの行番号が出力される

Excel VBAでは、グローバルメンバーのRowsプロパティで行を表すRangeオブジェクトを取得できます。それに対しxlwingsの場合、Rangeオブジェクトに、行を表すオブジェクトを取得するrowsプロパティが用意されています。

●選択されているセル範囲を取得するselectionプロパティ

Excel VBAでは、ApplicationオブジェクトやWindowオブジェクトなどに用意されているSelectionプロパティで、選択されているRangeオブジェクトを取得できます。

xlwingsの場合、Bookオブジェクトに用意されているselectionプロパティで選択されているセル範囲を表すRangeオブジェクトを取得できます。

Excel VBAのSelectionの場合、選択されている対象物によって戻り値がRangeではない別のオブジェクトになる可能性があります。それに対しxlwingsのselectionプロパティでは戻り値はRangeオブジェクトが基本で、セルではないものが選択されているときにはNoneが返されます。

変数bkにBookが代入されているときに以下のコードを実行すると、選択されているセル範囲のセル番地が出力されます。

```
print(bk.selection.address)
```

●セル範囲の最終セルを取得するlast_cellプロパティ

何らかのセル範囲の一番最後（右下端）のセルを表すRangeを取得するためのプロパティが、xlwingsでは実装されています。Rangeオブジェクトのlast_cellプロパティです。

Excel VBAの場合、セル範囲の最終セルを取得するにはRange.Countプロパティで取得したセルの個数をRange.Itemプロパティなどに指定する必要があるのに対し、xlwingsではRange.last_cellプロパティを使うだけで済みます。

変数bkにBookが代入されているときに以下のコードを実行すると、選択されているセル範囲の一番右下のセルのセル番地が出力されます。

```
print(bk.selection.last_cell.address)
```

リストからセルへの入力は簡単

Excel VBAでは、配列のデータをセルに一気に入力することで、処理を高速化できます。

VBA

```
Dim arr As Variant
arr = Array(1, 2, 3)
Range("A1:C1").Value = arr
```

配列の要素数と一致するようにセル範囲を指定

を実行すると、アクティブシートのA1:C1セルに「1」「2」「3」を入力できます。

同様の処理はxlwingsのほうが簡単に書けます。変数shtにアクティブなSheetが代入されているとき、次のコードでA1:C1セルに「1」「2」「3」を入力できます（**図9**）。

Python

```
arr = [1, 2, 3]
sht.range('A1').value = arr
```

セル範囲の左上隅のセルのみを指定

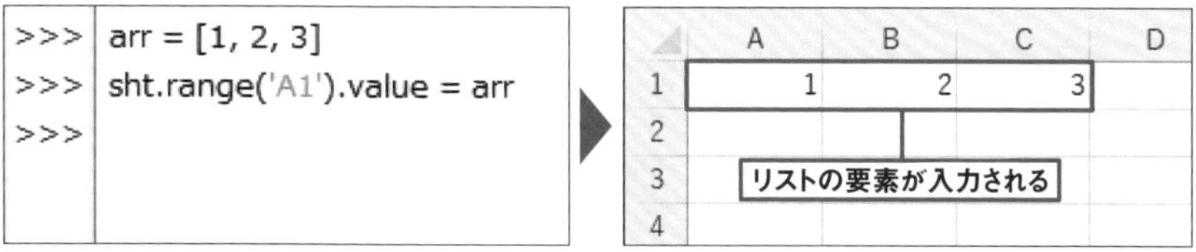

図9　xlwingsでは、セル範囲の左上隅に当たるセルを指定するだけで、リストの要素を一気にセル範囲に入力できる

Excel VBAの場合は、データを入力する先であるセル範囲を「Range("A1:C1")」のように配列の要素数と一致するように指定する必要があるのに対し、xlwingsでは「.range('A1')」と入力したいセル範囲の起点である左上隅のセルのみを指定するだけで済んでいます。

この挙動は2次元のリスト（リストの要素がリスト）でも同じです。次のコードを実行すると、A1:C2セルに「1」から「6」の整数が入力されます（**図10**）。

```
arr = [[1, 2, 3], [4, 5, 6]]
sht.range('A1').value = arr
```

2次元のリストをセル範囲に入力する場合も、左上隅のセルのみを指定

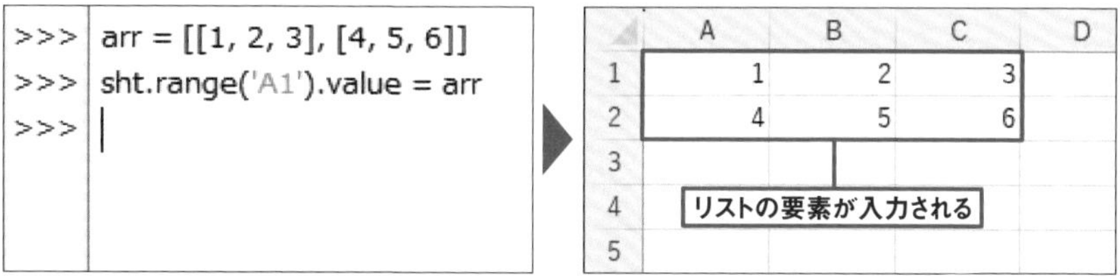

図10　2次元のリストの要素を、セル範囲に一気に入力することもできる。この場合も、セル範囲の左上隅に当たるセルを指定するだけでよい

Memo

第8章で、PythonのリストはVBAの配列を便利にしたデータ構造であることを学びました。xlwingsを使うとリストからセル範囲へのデータ入力が簡単に書けることも、リストが配列より便利な例といえるでしょう。

06 PythonでExcelを操作するサンプルスクリプト

本書の最後に、Pythonを使ってExcelを操作するサンプルスクリプトをいくつかご紹介します。Excel VBAよりも、シンプルにわかりやすく書ける例をここでは取り上げます。本書で学んできた内容を応用したスクリプトになっていますので、復習をしながら試してみてください。

サンプル❶ 複数のワークシートを非表示にする

第7章で、文字列操作にはExcel VBAよりPythonのほうが便利であることを解説しました。この特長によって、シート名が指定した文字列で始まる複数のワークシートを非表示にするような処理は、Excel VBAよりもxlwingsのほうがシンプルに書けます。

処理したいブックがアクティブな状態で以下のスクリプトを実行すると、そのブックに含まれるワークシートのうち、シート名が「temp」で始まるものが非表示になります（**図1**）。

Python

```
import xlwings as xw

for sht in xw.sheets:
    if sht.name.startswith('temp'):
        sht.visible = False
```

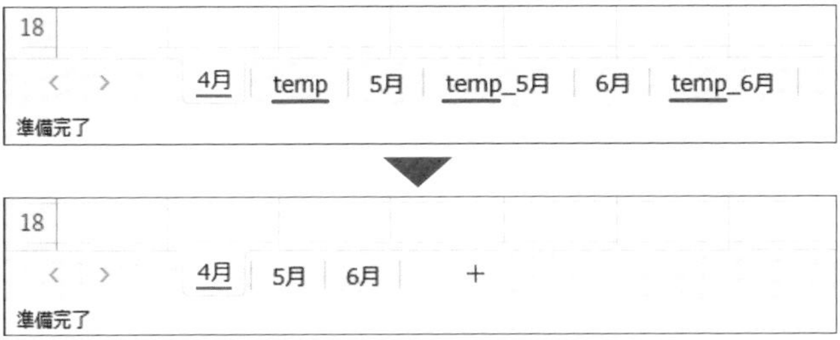

図1　str型のstartswithメソッドによってシート名が「temp」で始まるものを非表示にした。Excel VBAよりシンプルなコードで実装できる

```
for sht in xw.sheets:
```

のfor文で、アクティブブックに含まれるすべてのSheetを順番に取得して(219ページ参照)、

```
    if sht.name.startswith('temp'):
        sht.visible = False
```

のif文でシート名が「temp」で始まるかどうか判定し、該当するシートを非表示にしています。シートを非表示にするには、Sheet.visibleプロパティにFalseを指定します(214ページ参照)。

startswithメソッドを使うことで、条件「シート名がtempで始まる場合」をわかりやすく書けることに注目してください(133ページ参照)。

Excelの全プロセスを終了するには

xlwingsに限らず、何らかのプログラミング手法を使ってExcelを操作していると、気が付かないうちにExcelのプロセスが裏に残っていることがあります。そのようなプロセスを終了させるメソッドが、xlwingsには用意されています。Appsコレクションのcleanupメソッドです。

以下のコードを実行すると、残っているExcelのプロセスをすべて終了できます。

```
xw.apps.cleanup()
```

xlwingsの調査・学習中には、Excelのプロセスが裏に残ってしまい、コードを正しく入力・実行しているにもかかわらず、スクリプトが正常に動作していないように見えることがあります。そのようなときには、Excelを終了してから上記のコードを実行してみてください。

なお、Appsコレクションは、Excel VBAのApplicationオブジェクトに相当するAppオブジェクトを要素として含むコレクションです。Excel VBAには、Appsコレクションに相当するオブジェクトは存在しません。

サンプル❷ 指定した名前のワークシートを削除する

Excel VBAで、指定した名前のワークシートを削除する場合、その名前のシートが存在するかを事前にループ処理で確認する必要があります。それに対しxlwingsの場合は、if文だけで済んでしまいます。215ページでお伝えした、Book.sheet_namesプロパティがあるためです。シート名を要素として含むリストを返すプロパティです。

次のスクリプトを実行すると、アクティブブックに「tempシート」という名前のシートがあったときに削除できます（**図2**）。削除するシートの名前を、慣習的に定数として扱う大文字の変数TGT_SHTに代入して指定しています（95ページ参照）。

```
import xlwings as xw

TGT_SHT = 'tempシート'

bk = xw.books.active
if TGT_SHT in bk.sheet_names:
    bk.sheets[TGT_SHT].delete()
```

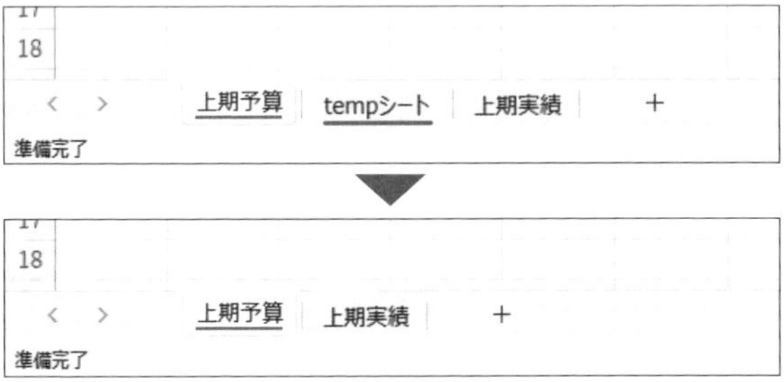

図2 上記のスクリプトを実行すると、「tempシート」という名前のシートが削除される

Excel VBAには存在しない、Book.sheet_namesプロパティを使ってシート名を要素として含むリストを取得しています。このリストに、変数TGT_SHTに代入されている名前のワークシートが存在するかを、

```
if TGT_SHT in bk.sheet_names:
```

のようにin演算子で判定しています(81ページ参照)。シートが存在していたときには、

```
bk.sheets[TGT_SHT].delete()
```

の行でSheet.deleteメソッドを使って削除します(217ページ参照)。

Excel VBAの場合、Worksheet.Deleteメソッドでワークシートを削除する際に確認メッセージが表示されるため、Application.DisplayAlertプロパティにFalseを設定する必要があります。それに対しxlwingsの場合は、217ページで解説したとおり、Sheet.deleteメソッド内部でApplication.DisplayAlertプロパティにFalseを設定する処理が行われているため、Excel VBAよりもシンプルなコードで済みます。

サンプル❸ 複数のワークシートをPDF出力する

ワークシートをPDFファイルとして出力する処理は、Excel VBAで自動化を求められるものの1つです。これもExcel VBAよりxlwingsのほうがシンプルなコードで書くことができます。

> Memo
> 190ページなどで紹介したopenpyxlでは、PDFの出力ができません。そのため、openpyxlの解説書では、Excel VBAを使ったりpywin32を使ったりして、PDFを出力しているのが実情です。

次のスクリプトを実行すると、アクティブブックのすべてのワークシートが、カレントディレクトリ(カレントフォルダー)にPDFとして出力されます。その際、各シート名がPDFファイルの名前になります(次ページ**図3**)。

```
import xlwings as xw

for sht in xw.sheets:
    sht.to_pdf()
```

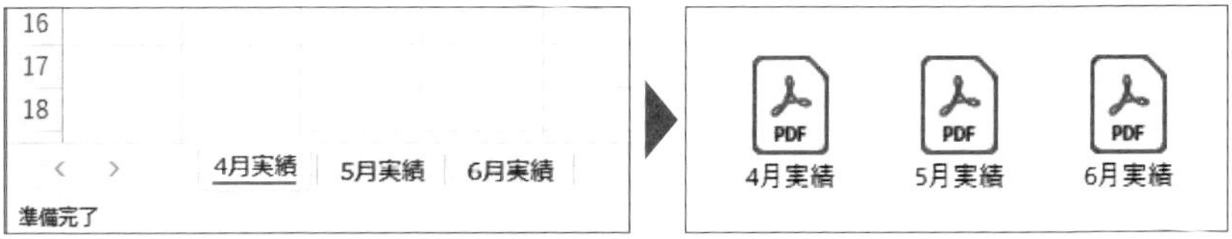

図3 シート名をファイル名にしたPDF保存が、Excel VBAよりシンプルなコードで実装できる

Excel VBAでワークシートをPDFに出力する場合には、Worksheet.ExportAsFixedFormatメソッドを使い、引数Typeに定数xlTypePDFを、引数FilenameにPDFファイルの名前などを指定する必要があります。それに対しxlwingsでは、Sheet.to_pdfという、とてもわかりやすい名前のメソッドで簡単にPDF出力が可能です。

Memo

公式ドキュメントには、保存済みブックの場合はブックと同じフォルダーに出力される旨の記述がありますが、2023年7月現在、カレントディレクトリに出力されます。

カレントディレクトリとは

現在作業を行っているディレクトリ(フォルダー)を、カレントディレクトリ(カレントフォルダー)と呼びます。フォルダーとディレクトリは、厳密には違う場合もありますが、複数のファイルを入れる場所という意味では同じです。

Pythonでは、標準ライブラリに含まれるosモジュールのgetcwd関数を使うと、カレントディレクトリを取得できます。

```
import os
print(os.getcwd())
```

を実行すると、カレントディレクトリが出力されます。

45～46ページのコラムでお伝えした手順によりIDLEの作業フォルダーを変更している場合、カレントディレクトリは「C:¥temp」となります。

「cwd」は、「Current Working Directory」の略です。

サンプル❹ 複数ブックのワークシート名を出力する

第10章で解説した、pandasやglobを使う例も見ておきましょう。複数のフォルダーに散在するExcelファイルから、シート名の一覧を取得する処理です。こういった処理は、Excel VBAよりPythonのほうがシンプルなコードで、高速に処理できます。

さまざまな階層の複数のフォルダーに、たくさんのExcelファイルが存在しているケースを考えてください。どのブックにどのようなシートが存在するのかを確認したいとき、Pythonのライブラリを利用すればシンプルなコードで簡単に調べられます。ここまで解説してきたxlwingsでも同様の処理は可能ですが、より高速に処理するために、ここではpandasを使います。

●複数ブックのワークシート名をShellウインドウに出力する

次のスクリプトを実行すると、Cドライブのtempフォルダーの下にあるすべてのフォルダーを対象に、拡張子が「.xlsx」であるExcelファイルのフルパスとすべてのシート名がShellウインドウに出力されます（**図4**）。

```
import pandas as pd
import glob

for path in glob.iglob(r'C:¥temp¥**¥*.xlsx', recursive=True):
    bk = pd.ExcelFile(path)
    print(path, bk.sheet_names, sep='¥t')
```

```
C:¥temp¥1Q¥予算.xlsx	['1月予算', '2月予算', '3月予算']
C:¥temp¥1Q¥実績.xlsx	['1月', '2月', '3月']
C:¥temp¥2Q¥予算.xlsx	['4月予算', '5月予算', '6月予算']
C:¥temp¥2Q¥実績.xlsx	['4月', '5月', '6月']
C:¥temp¥2Q¥上期レポート¥上期集計.xlsx	['上期予算', '上期実績']
C:¥temp¥3Q¥予算.xlsx	['7月予算', '8月予算', '9月予算']
C:¥temp¥3Q¥実績.xlsx	['7月', '8月', '9月']
>>>
```

図4 上記コードを実行すると、tempフォルダー内にあるExcelファイルのフルパスとそのシート名の一覧が出力される。サブフォルダーもすべて対象になる

第9章の171ページで、次のスクリプトを解説しました。

```
import glob
for path in glob.iglob(r'C:¥temp¥**', recursive=True):
    print(path)
```

このスクリプトの探索対象をExcelファイルに限定し、さらにpandasを使ってブックを読み込む処理と、シート名を取得・出力する処理を追加したのが先ほどのスクリプトです。

glob.iglob関数を使ったfor文の部分は、

```
for path in glob.iglob(r'C:¥temp¥**¥*.xlsx', recursive=True):
```

拡張子が「.xlsx」のファイルを処理対象に指定

と指定して、Cドライブのtempフォルダー下にあるxlsxファイルのみを再帰的に取得しています。forブロック内では、

```
bk = pd.ExcelFile(path)
```

の行で、pandas.ExcelFile関数を使ってブックを読み込み（186ページ参照）、

```
print(path, bk.sheet_names, sep='¥t')
```

の行で、そのブックのフルパスと、pandasのExcelFile.sheet_names属性（187ページ参照）で取得できるシート名のリストを出力しています。その際、フルパスとシート名のリストは、print関数の引数sepを使ってタブ文字で区切っています（54ページ参照）。

●複数ブックのワークシート名をExcelに出力する

大量のブックのシート名を調べたい場合は、ShellウインドウよりExcelに出力するほうが便利でしょう。その場合、Excelに出力する部分でxlwingsを使った、

次のようなスクリプトにするのが一案です。

```
import pandas as pd
import glob
import xlwings as xw

arr = []
for path in glob.iglob(r'C:¥temp¥**¥*.xlsx', recursive=True):
    bk = pd.ExcelFile(path)
    arr.append([path, str(bk.sheet_names)])

bk_out = xw.Book()
sht = bk_out.sheets.active
sht.range('A1').value = arr
sht.autofit()
```

上記のスクリプトを実行すると、**図5**のようにExcelのシートに出力されます。

	A	B	C
1	C:¥temp¥1Q¥予算.xlsx	['1月予算', '2月予算', '3月予算']	
2	C:¥temp¥1Q¥実績.xlsx	['1月', '2月', '3月']	
3	C:¥temp¥2Q¥予算.xlsx	['4月予算', '5月予算', '6月予算']	
4	C:¥temp¥2Q¥実績.xlsx	['4月', '5月', '6月']	
5	C:¥temp¥2Q¥上期レポート¥上期集計.xlsx	['上期予算', '上期実績']	
6	C:¥temp¥3Q¥予算.xlsx	['7月予算', '8月予算', '9月予算']	
7	C:¥temp¥3Q¥実績.xlsx	['7月', '8月', '9月']	
8			

図5 上記コードを実行すると、tempフォルダー内にあるExcelファイルのフルパスとそのシート名の一覧が新規のExcelファイルに出力される

232ページでお伝えしたとおり、xlwingsでは、リストからセルへの入力が簡単にできます。この長所を生かすために、要素のないリストarrを

```
arr = []
```

で準備しておいて、

```
for path in glob.iglob(r'C:¥temp¥**¥*.xlsx', recursive=True):
    bk = pd.ExcelFile(path)
    arr.append([path, str(bk.sheet_names)])
```

のforブロック内で、リストのappendメソッド(150ページ参照)を使って、ブックのフルパスとシート名の一覧をリストarrに追加します。その際、xlwingsのBook.sheet_namesプロパティで取得できるリストを、str関数で文字列に変換しています(99ページ参照)。

forブロックを抜けた後は、xlwingsを使ったExcelへの出力です。


```
bk_out = xw.Book()
```

の行で、xlwings.Book関数を使って出力先となる新規Bookを作成して、

```
sht = bk_out.sheets.active
sht.range('A1').value = arr
```

の2行で、アクティブシートのA1セルを起点にして、forブロックで作成したブックのフルパスとシート名のリストをセルに入力します。

仕上げに、Sheet.autofitメソッドを使った

```
sht.autofit()
```

で列幅を調整しています。Excel VBAでは、列幅や行高を適切なサイズに変更するAutoFitメソッドはRangeオブジェクトに用意されています。それに対しxlwingsでは、Sheetオブジェクトのautofitメソッドで、ワークシート全体の列幅と行高を一気に適切なサイズにできます。

おわりに

Pythonの基本を学び、xlwingsを使ったExcel操作を行ってみて、どのような印象をお持ちでしょうか。Pythonをもっと使ってみたいと感じてらっしゃるのであれば、うれしい限りです。そのような方へ今後の方向性をお伝えしておきます。

本書ではIDLEを使って、VBAと比較しながらPythonの学習を進めてきました。しかし、そろそろIDLEに不満を感じ始めているかもしれません。その場合は、「Jupyter Notebook（ジュパイターノートブック）」を試してみてください。

Jupyter Notebookとは、IDLEをもっと便利にしたWebアプリケーションです。プロのプログラマーであれば何らかの開発環境を用意する必要がありますが、Pythonを活用して業務効率化を図るのであれば、Jupyter Notebookがお薦めです。Jupyter Notebookもpipでインストールでき、プログラマー向け開発環境を準備するより簡単に使えるようになります。本書で少しだけ触れたpandasと共にデータ分析の現場でよく使われ、Pythonの人気を支える外部ライブラリの1つです。

ちなみに、5ページで紹介した「Python in Excel」が開発されることになった要因の1つが、Jupyter Notebookの存在だと筆者は考えています。

本書で扱っていないPythonの文法面では、「リスト内法表記」と「関数定義」を早めに学ぶことをお勧めします。本書を参考にしてPythonのコードの入力・実行を繰り返し、興味がより深まってきた方は、これらについても解説されている本を書店で探してみてください。

本書の執筆にあたり、多くの方のお世話になりました。Kindle版の『VBAユーザーのためのPython超入門』をお読みいただいた皆さんに感謝します。田村規雄編集長をはじめ、編集やDTPにご尽力いただいた方々に感謝します。妻と2人の息子に感謝しています。そして、今この「おわりに」を読んでいるあなたに感謝いたします。

2023年8月

伊藤潔人

索引

索引

伊藤潔人（いとうきよと）

2003年よりMicrosoft OfficeのTipsなどを紹介するブログ『インストラクターのネタ帳』を運営。2008年よりMicrosoft MVPを連続受賞。2012年頃から社会人向けプログラミング学習の入り口としても有効なVBAに注力。近年はビジネスの現場で活用が広がったPythonの入門書なども、主にVBAユーザーに向けて執筆している。著書に『いちばんやさしいExcel VBAの教本』（インプレス）、『いちばんやさしいPowerPoint VBAの教本』（同）があり、『Excel VBAユーザーのためのOpenPyXL入門』『もしかして、論理式がよくわからないままExcelを使ってませんか?』『Excel VBAユーザーのためのWord VBA入門』シリーズなどのKindle本も発行。

インストラクターのネタ帳
https://www.relief.jp/

Excel VBAユーザーのための
Pythonプログラミング入門

2023年9月25日　第1版第1刷発行

著　　者　伊藤潔人
編　　集　田村規雄
発 行 者　中野 淳
発　　行　株式会社日経BP
発　　売　株式会社日経BPマーケティング
〒105-8308　東京都港区虎ノ門4-3-12

装　　丁　小口翔平＋畑中 茜（tobufune）
本文デザイン　桑原 徹＋櫻井克也（Kuwa Design）
制　　作　会津圭一郎（ティー・ハウス）
印刷・製本　図書印刷株式会社
ISBN978-4-296-20265-2

本書籍に関するお問い合わせ、ご連絡は下記にて承ります。
https://nkbp.jp/booksQA